SUPER MOTS

1

SUPER MOTS CROISÉS
1

Jacques Brouillard

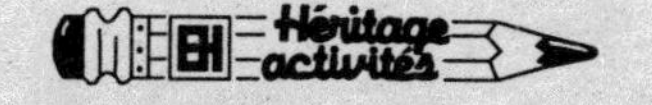

MOTS CROISÉS Nº 1

Conception graphique de la couverture : Isabelle Pepin

Photocomposition : Reid-Lacasse

Dépôts légaux: 2e trimestre 1993
Bibliothèque nationale du Québec
Bibliothèque nationale du Canada

ISBN: 2-7625-7474-9   Imprimé au Canada

LES ÉDITIONS HÉRITAGE INC.
300, Arran, Saint-Lambert (Québec) J4R 1K5
(514) 875-0327

HORIZONTALEMENT

1 — Substance odoriférante — Note.
2 — Durée de notre passage sur terre — Lendemain.
3 — On y lave la vaisselle (pl.) — Général américain.
4 — Manchon de la poignée d'une manivelle — Eux.
5 — Adj. poss. — Examine attentivement.
6 — Patrie d'Abraham — Résine malodorante — Douleur.
7 — A du regret.
8 — Article — Foyer.
9 — Orignal — Greffas.
10 — Moqueries collectives — Liaison.

VERTICALEMENT

1 — Personne qui cherche l'aventure.
2 — Cours d'eau — Lithium.
3 — Chas (pl.) — Sonnerie annonçant les funérailles.
4 — Article espagnol — Étendue sableuse.
5 — Habileté (pl.).
6 — Possessif — Démonstratif — En matière de.
7 — Éminence — Iridium — Écorce.
8 — Petit brin de bois dont on peut enflammer une des extrémités.
9 — Fête — Rongeur.
10 — Baudet — Fém. de ils.

HORIZONTALEMENT

1 — Meuble muni de tiroirs — Aride.
2 — Fabriqué en usine — Arbre.
3 — Fonction du tuteur — Patrie d'Abraham.
4 — Iridium — Nichons.
5 — Filles du frère — Risqua.
6 — Saison — Estonie.
7 — Frangin — Maladie tropicale infectieuse et contagieuse.
8 — Relatif au tarse.
9 — Excès de poids — Cobalt.
10 — Trois fois — Qui n'ont pas servi.

VERTICALEMENT

1 — Ce qu'on prend aux ennemis — Onde.
2 — Personne qui prête à usure — Béryllium.
3 — Ricane — Décapiter.
4 — Exposeras.
5 — Ventilée — Irlande.
6 — Petite baie — Sainte.
7 — Enlève — Bâton qu'on utilisait pour chasser.
8 — Senior — Personne qui ressemble parfaitement à une autre.
9 — Troublé — Groupe de vers.
10 — Sûr — Squelette.

HORIZONTALEMENT

1 — Câble — Ventilé.
2 — Poisson plat — Voix grave de femme (pl.).
3 — Orient — Tas (pl.).
4 — Grand âge.
5 — Existes — Démentir — Erbium.
6 — Enlever — Canton de Suisse.
7 — Rames.
8 — En outre — Femme de race noire.
9 — Inventer — Lier.
10 — C'est-à-dire — Raisonnables.

VERTICALEMENT

1 — Éclater — Pas ailleurs.
2 — Lieu de calme — Foyer.
3 — Cérémonial — Ovale.
4 — Petit cube — Se dit d'amis très proches.
5 — Courber — Île de France.
6 — Extrémité de l'aile.
7 — Se rendre — Pron. pers.
8 — Saisons — Fabrique.
9 — Rouer de coups — Thymus du veau.
10 — En matière de — Bâtir.

HORIZONTALEMENT

1 — Mourir — Pascal.
2 — Contourna — Géant.
3 — Mot d'enfant — Mettre en silo.
4 — Mouche — Résine malodorante.
5 — Maladie du système immunitaire — Attacher.
6 — Petit oiseau.
7 — Possèdent — Couverte de peinture.
8 — Coule à Grenoble — Éminence.
9 — Partie inférieure des arbres — Fondateur de l'Oratoire d'Italie.
10 — Rivière de France — Apportas.

VERTICALEMENT

1 — Organes de la bouche — Choisit.
2 — Action de s'évader — Rigolé.
3 — Ici — Publication.
4 — Écimas — Étain.
5 — En — Plante vomitive.
6 — Munir d'une selle.
7 — Souverain — Fou.
8 — Morceau de glace — Marque le lieu.
9 — Fera connaître.
10 — Ventiler — Mis en circulation.

HORIZONTALEMENT

1 — Disposer par échelons.
2 — Central Intelligence Agency — Incroyable (fém.).
3 — Arbre — Tendon.
4 — Prophète hébreu — Année — Erbium.
5 — Dénuées de valeur.
6 — Sans mouvement — Allié.
7 — Sodium — Sein.
8 — Gros cordage pour l'amarrage d'un navire.
9 — Orienter dans une nouvelle direction.
10 — Adresse — Arbre.

VERTICALEMENT

1 — Magistrat municipal — Dieu du soleil.
2 — Firmament — Pratiquer le crawl.
3 — Faite trop vite — Éructation.
4 — Réapprovisionner en armes.
5 — Uni — Pays d'Europe.
6 — Quelqu'un — Rendre anémique.
7 — Religieuse — Ville d'Italie.
8 — Dévêtue — Grand arbre de l'Inde — Terbium.
9 — Irlande — Hôtel aménagé pour accueillir les automobilistes.
10 — Il vient après le couplet — Note.

HORIZONTALEMENT

1 — Il distribue le courrier — Onomatopée marquant le mépris.
2 — Difficiles — Voisin de l'Iraq.
3 — Ancien do — Alcaloïde toxique.
4 — Fabriqueras par tissage.
5 — Orient — En usage.
6 — Pareilles — Terre-Neuve.
7 — Transvases — Point cardinal.
8 — Poisson rouge — Gras.
9 — Plante potagère à odeur forte — Issue.
10 — Hameau — Astuces.

VERTICALEMENT

1 — Erreur — Réel.
2 — Personne qui pratique un art — Lui.
3 — Disque compact (abrév. ang.) — Qui ne produit pas de fruits.
4 — Assassinés — Drogue hallucinogène.
5 — Seules.
6 — Anneaux de cordage — Métal précieux.
7 — Ricanerais — Touffu.
8 — Économiste français — Idiots.
9 — Admirateur — Appris avec soin.
10 — Qui n'ont pas d'étendue (fém.).

HORIZONTALEMENT

1 — Abri d'une sentinelle — Dieu du soleil.
2 — Accessoires d'usage domestique.
3 — Obtenues — Bâti.
4 — Note — Sucer le lait.
5 — Partie de l'intestin grêle (pl.) — Orient.
6 — Quelqu'un — Titane.
7 — Femelle de l'ours — Risqués.
8 — Issue — Navire de guerre de l'Antiquité.
9 — Prén. masculin — Océan.
10 — Exprimer sa gratitude.

VERTICALEMENT

1 — Disparition d'un mal.
2 — Familier — Branche mère de l'Oubangui.
3 — Saison — Affluent de la Seine.
4 — Demeurons — Largeur d'une étoffe.
5 — À la mode — S'obstiner avec ténacité (s').
6 — Mouche — Rocher.
7 — Irlande — Législation.
8 — Prendre connaissance d'un texte — Met en terre.
9 — Étendue désertique — Mesurer.
10 — Stériliser.

HORIZONTALEMENT

1 — Individu de sexe masculin — Panneau de signalisation exigeant l'arrêt.
2 — Argent — Bonne Action.
3 — Habitantes de la Terre.
4 — Erbium — Mis de niveau.
5 — Côtoies — Gelée.
6 — Démenti — Colère.
7 — Utilisé — Excité.
8 — Qui durent longtemps — Quelqu'un.
9 — Aucune — Triages.
10 — Décapiterais.

VERTICALEMENT

1 — Auberge — Vase.
2 — Tenterons — Ancien do.
3 — Océan — Incrustation d'émail noir.
4 — Illusion — Rivière de Roumanie.
5 — Choisir — Prince troyen.
6 — Crédit-bail (mot angl.).
7 — Direction — Demeura.
8 — Se mouvoir dans l'eau — Rigolé.
9 — Bedonnant — Regardes.
10 — Mouvement des pieds — Servent à lier.

HORIZONTALEMENT

1 — Handicaps.
2 — Petite — Arbre.
3 — Première femme — Venu au monde — Terme de tennis.
4 — Souri — Actrice italienne.
5 — Tira — Imbécile.
6 — Victoire de Napoléon — Pantalon.
7 — Matériaux qui ne conduisent pas la chaleur.
8 — Petits repos d'après-midi — Lien grammatical.
9 — Inventèrent.
10 — Signe qui hausse une note d'un demi-ton — Couleur.

VERTICALEMENT

1 — Manque d'activité (pl.).
2 — Vaisseau — Pas ailleurs.
3 — Met sa confiance — Conductrice d'ânes.
4 — À la mode — Paquets de billets de banque.
5 — Résiliation d'un bail — Enlevée.
6 — Écorcher.
7 — Elle fut changée en génisse — Couper ras.
8 — Partie d'une autoroute — Théâtre japonais.
9 — Troublé — Groupes comprenant huit éléments binaires.
10 — Bande de soie pour drainer une plaie — Saint.

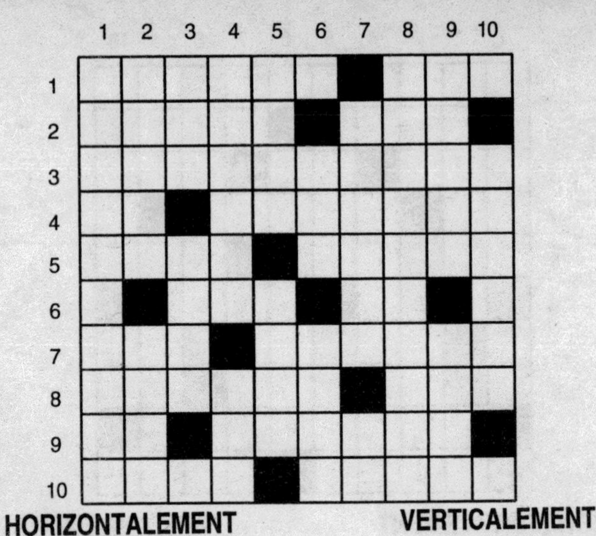

HORIZONTALEMENT

1 — Terrain où l'on cultive des végétaux — Enlevé.
2 — Risquais — Opération postale.
3 — Pratique.
4 — Route rurale — En usage.
5 — Masse de neige — Nichons.
6 — Dans le désert — Liaison.
7 — Attacha — Rendu sage.
8 — Sotte — Fleur.
9 — Voyelle double — Ordonnance.
10 — Songe — Situées.

VERTICALEMENT

1 — Travailleur payé à la journée.
2 — Corps céleste — Opinion.
3 — Rayon — Réel.
4 — Délayée — Poème lyrique.
5 — Déesse égyptienne — Pourri.
6 — Pièce de bois qui supporte la quille d'un navire — Arides.
7 — Palpées — Rigolé.
8 — Relatives à l'Orient.
9 — Attirée vers soi — Lieu où l'on trouve à se loger.
10 — Tentatives.

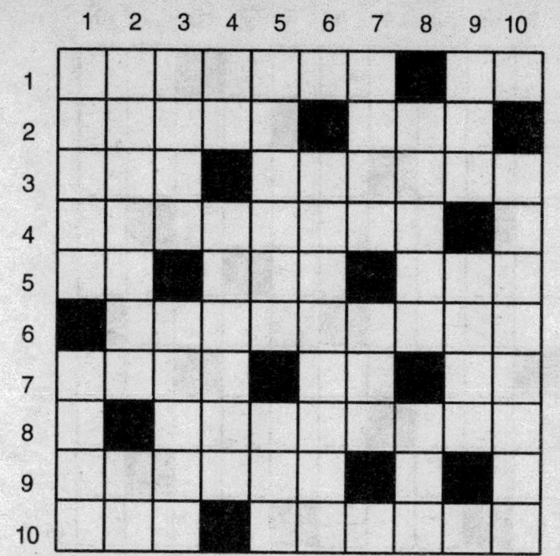

HORIZONTALEMENT

1 — Action de déchiffrer un texte — Tantale.
2 — Couleur maître aux cartes — Lombric.
3 — Tendre — Qui produit l'érosion.
4 — Ruses.
5 — Article espagnol — Dévêtus — Rivière de France.
6 — De l'Écosse.
7 — Tenter — Squelette — Lieutenant.
8 — Demander en faisant appel à la pitié.
9 — Disposé en anneaux.
10 — Terme de tennis — Fais pipi.

VERTICALEMENT

1 — Appareil d'éclairage — Enlevas.
2 — Astres — Issu.
3 — Choc — Entouré d'un bandeau.
4 — Pron. pers. — Gigantesque.
5 — Matrice — Du verbe plaire.
6 — Rôtir jusqu'à une couleur dorée.
7 — Cri des bacchantes — Volcan du Japon.
8 — Tentative — Sigle d'une ancienne formation politique.
9 — Triage — Rivière de France.
10 — Ouvertures vitrées dans un mur.

HORIZONTALEMENT

1 — Chaînon — Sélénium.
2 — Ost — En outre.
3 — Pas ailleurs — Remplie.
4 — Halées.
5 — Ruées — Métal précieux (pl.).
6 — Greffe — Qui est en feu.
7 — Qui t'appartient — Aperçu.
8 — Prén. masculin — Ventilées.
9 — Qui se rapportent à l'os cubital.
10 — Situé — Vedette.

VERTICALEMENT

1 — Décharné — Il.
2 — Arbalète — Quelqu'un.
3 — Action de copier le parler de quelqu'un (pl.).
4 — Largeur d'une étoffe — Opinion — Du verbe avoir.
5 — Maladie infectieuse — Viens au monde.
6 — Épargner avec avarice.
7 — Démentie — Administres.
8 — Morceau de bois en partie brûlé et encore en feu — Orient.
9 — Monnaie du Japon — Songe.
10 — Mets en circulation — Utiliser.

HORIZONTALEMENT

1 — Action de nager.

2 — Alliage de fer et de carbone — Quatrième partie du jour.

3 — Relatives à la Terre.

4 — Ancien do — Orient — Maladie Transmissible Sexuellement.

5 — Éructation — Malpropreté.

6 — Nomme un à la suite de l'autre — Erbium.

7 — Désavantager — Au golf, coup joué sur le green.

8 — Étain — Vagabonde.

9 — Dégoûtée.

10 — Sécurité — Du verbe avoir.

VERTICALEMENT

1 — Qui appartiennent à la nature.

2 — Liquide volatile utilisé comme solvant — Cuivre.

3 — Coup de fusil — Foulard fabriqué de soie.

4 — Ventilé — Accompagnée.

5 — Natter — Ancien do.

6 — Vedette — Époque.

7 — Possèdent — Maladie infectieuse.

8 — État conforme à la règle — Dans l'urine.

9 — Propreté.

10 — Dernier service d'un repas — Liaison.

HORIZONTALEMENT

1 — Contrainte, devoir.
2 — Mourir — Organisation des Nations Unies.
3 — Axe d'une plante — Enleva le savon.
4 — Souverain — Qui se trouve dans l'air.
5 — Frottées d'huile.
6 — Église romane et gothique — Plaque de neige.
7 — Éminence — Choisira.
8 — Cachette — Iridium.
9 — Distinguée — Possèdent.
10 — Économiste français — Tétée.

VERTICALEMENT

1 — Accorder à titre de faveur.
2 — Virtuosité — Roche abrasive.
3 — Corps d'armée — Mouvement des pieds sur le sol.
4 — Fleur jaune — Intouché.
5 — Germanium — Parole stupide.
6 — Escale — Colères.
7 — Évêque de Lyon, Père de l'Église.
8 — Produire l'ionisation — Ancien oui.
9 — Félin — Sans résultat (fém.).
10 — Degré d'une couleur — Route.

HORIZONTALEMENT

1 — Arbre des Tropiques — Expert.
2 — Confession — Mollusque que les Belges mangent avec des frites.
3 — Couleur rousse.
4 — Se dit d'une route sans détour — Note.
5 — Squelette — Obtenu — Empereur de Russie.
6 — Fleuve d'Afrique — Perdant (mot angl.).
7 — Recouvre d'une sauce — Brame.
8 — Cela — Canal des marais salants.
9 — Qui reviennent chaque année.
10 — Trois fois — Aigres.

VERTICALEMENT

1 — Rémission d'une offense — Calcium.
2 — Proche, voisin.
3 — Pron. pers. — Note — Issu.
4 — Lieu où sont conservées des oeuvres d'art — Terreur.
5 — Taille la pierre artistiquement.
6 — Met en circulation — Chas (pl.).
7 — Instruments servant à filer la laine — Choisi.
8 — Patrie d'Abraham — Exercer une pression.
9 — Aluminium — Peu fréquent — Sélénium.
10 — Mettre en terre — Lien grammatical.

HORIZONTALEMENT

1 — Aptitude — Obtenu.
2 — Proposition qui n'admet aucune contestation (pl.).
3 — Actinium — Taper sur le clavier d'une caisse enregistreuse.
4 — Jour de l'An vietnamien — Infusion d'herbes.
5 — Sels de l'acide urique — Fleuve d'Afrique.
6 — Organe de la vision — Instrument servant à couper le bois.
7 — Petits ruisseaux — Ce qui fait lever le pain.
8 — Petit passereau — Océan.
9 — Peur (pop.) — Nickel.
10 — Poursuis en justice — Crâne.

VERTICALEMENT

1 — Groupe de quatre personnes — Cale en forme de V.
2 — Couvertes d'ulcères.
3 — Astate — Ne disent pas.
4 — Pucier — Théâtre de la Loire — Brame.
5 — Copie — Meubles dans lesquels on dort.
6 — Couvrent de tapisseries.
7 — Saisons — Curriculum Vitae — Liaison.
8 — Métal extrait de l'urane.
9 — Éminence — Démentirent.
10 — Familier — Grand Lac.

HORIZONTALEMENT

1 — Organe qui fixe au sol les plantes — Ride.
2 — Principe de vie — Imaginaire.
3 — Acte juridique par lequel une personne dicte ses dernières volontés.
4 — Iridium — Fabriqué en usine.
5 — Insecte des eaux stagnantes — Sucer le lait.
6 — Sort — Radon.
7 — Grand Lac — Organe de la vue.
8 — Elles conduisent les ânes — Cale en forme de V.
9 — À la fin de la messe — Pratiques sociales d'un peuple, d'une époque.
10 — Bagatelle — Utile au golf.

VERTICALEMENT

1 — Tissu — Vent.
2 — Avec amertume.
3 — Démonstratif — Banquier français (1777-1832).
4 — Massacre.
5 — Démentis — Bourgeon sur une pomme de terre.
6 — Solitaire — Agent secret de Louis XV.
7 — Courroie fixée au mors du cheval — Risqué.
8 — Entre — Ancien do.
9 — Terme de tennis — Rendu ivre.
10 — Lui — Richesse — Désavantagé.

HORIZONTALEMENT

1 — Plante potagère feuillue — Poème lyrique.
2 — Femmes en amour.
3 — Règlement — Lichen filamenteux.
4 — Iridium — Vin blanc — Strontium.
5 — Boucliers — Qui a pris les couleurs de l'arc-en-ciel.
6 — Mets entamé — Bières.
7 — Mouille.
8 — Scandium — La peinture en est un — Surface sur laquelle on marche.
9 — Voies bordées d'arbres — Pron. pers. familier.
10 — Action d'épierrer (pl.).

VERTICALEMENT

1 — Récipients renfermant du sel de table.
2 — Commence à réaliser — Pointe de terre.
3 — Législation — Utilisa — Lithium.
4 — Or — Relative aux astres.
5 — Touffus — Vagabonder.
6 — Estonie — Enlever.
7 — Joindras — Possessif.
8 — Risqué — Terre entourée d'eau (pl.).
9 — Divinité féminine — Enlève.
10 — En matière de — Décidés.

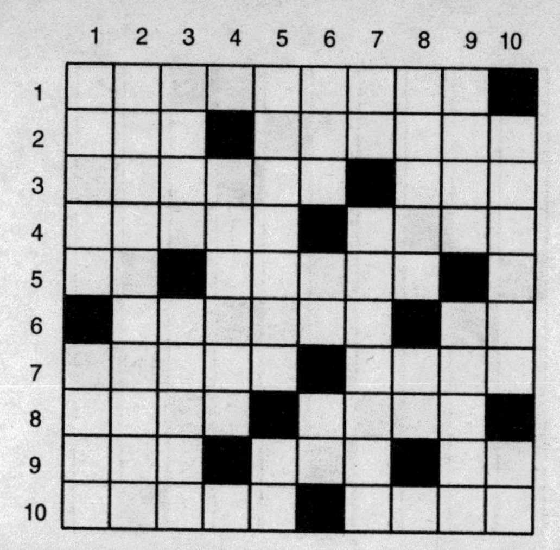

HORIZONTALEMENT

1 — Croissance tardive (agric.).
2 — Pas ailleurs — Huile essentielle obtenue de l'oranger.
3 — Comédien — Fatigué.
4 — Jettent les pattes en l'air avec force — Direction.
5 — Éminence — Ville de France.
6 — Crier, en parlant d'un rapace — Issu.
7 — Eau qui tombe du ciel — Regardes.
8 — Filet pour la pêche — Dirige une arme vers l'objectif.
9 — Époque — Feu — Démonstratif.
10 — Dessert fait de pâte garnie de fruits — Baudets.

VERTICALEMENT

1 — Coiffure du pape — Disposé.
2 — Entassera.
3 — Rituel — Boucher avec du lut.
4 — Soucis.
5 — Qui ne sert à rien — Tellure.
6 — Lombric — Pron. pers. — Six.
7 — Erbium — Présentera un plat.
8 — Prisons (pop.) — Squelette.
9 — Orignal — Fille de la soeur.
10 — Sorties — En matière de.

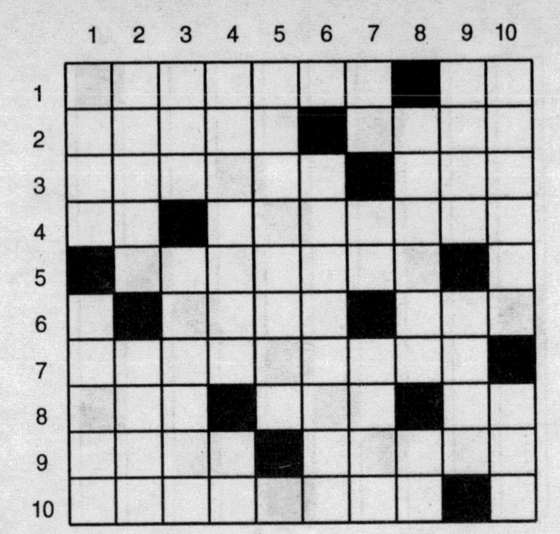

HORIZONTALEMENT

1 — Signe astrologique — Notre-Seigneur.
2 — Quote-part de chacun dans un repas (pl.) — Tache (mot angl.).
3 — Prises en note — Route.
4 — Théâtre Lyonnais — Ligne saillante formée par la rencontre de deux pans de couverture.
5 — Solitaires.
6 — Victoire de Napoléon — Mèche de cheveux.
7 — Estimer, évaluer.
8 — Serpent — Condiment — Liaison.
9 — Récipient dans lequel mangent et boivent les animaux domestiques — Estonie.
10 — Gerçure de la peau.

VERTICALEMENT

1 — Mouvement de l'air — Plante cultivée pour ses feuilles riches en nicotine.
2 — Établissement d'enseignement — Le bon côté.
3 — Éructation — Action de riper.
4 — Bateau à vapeur (mot ang.) — ÉlectronVolt.
5 — Alcaloïde toxique (pl.).
6 — Qui sont en forme de soie de porc (fém.).
7 — Coutumes — Tellure — Terre entourée d'eau (pl.).
8 — Estimée, appréciée — Sélénium.
9 — Annotation — Action de prêter.
10 — Mesurai — Feu.

HORIZONTALEMENT

1 — Qui pratique un art sans en faire une profession — Théâtre japonais.
2 — Accompagner — Dieu de l'amour.
3 — Première page d'un journal — Ramène à la vie.
4 — Possessif — Petite note (pl.).
5 — Lieu du culte — Lentille.
6 — Vrai — Nuage.
7 — Rattachas — Platine.
8 — Béryllium — Naïve.
9 — Fruit des conifères — Enlève.
10 — Organe dur poussant sur la tête des ruminants — Être imaginaire doté de pouvoirs surnaturels (pl.).

VERTICALEMENT

1 — Divertir — Baiser.
2 — Femme qui s'occupe de l'administration du foyer.
3 — Baudet — Général américain — Chrome.
4 — Règle double — Mille fois mille.
5 — Vagabondes — De naissance.
6 — Transforme une pièce pour la rendre plus agréable.
7 — Chanteuse québécoise prénommée Ginette — Utilise.
8 — Moquerie collective — Il a construit une arche.
9 — Mot servant à désigner une chose — Célèbre.
10 — Risquées — Utiles au golf.

HORIZONTALEMENT

1 — Brume.
2 — Agent secret de Louis XV — Nuit d'hôtel.
3 — Récipient portatif pour les liquides — Virage en ski.
4 — Cuisson à l'étouffée (à l') — Boxeur célèbre.
5 — Bande circulaire en caoutchouc.
6 — Hameau — Orifice du rectum.
7 — Largeur d'une étoffe — Composé obtenu par condensation des aldéhydes et des cétones.
8 — Pas large — Inflorescence.
9 — Première page d'un journal — Tenter.
10 — Paquets de billets de banque liés ensemble — Tellure.

VERTICALEMENT

1 — Jeune enfant — Relatif à l'iléon.
2 — Roi d'un petit pays.
3 — Qui présente un léger mouvement sinueux — Jeta les pattes en l'air avec force.
4 — Acclamations rendues par la foule.
5 — De naissance — Partie du pain (pl.).
6 — Bouquiné — Existait.
7 — Fleur — Coule à Innsbruck — Squelette.
8 — Agressées physiquement.
9 — Choisis de nouveau — Gaz intestinal.
10 — Moitié d'une unité — Reflété.

HORIZONTALEMENT

1 — Réjouissances qui finissent au mercredi des Cendres.
2 — Alliage de fer et de carbone — Outil de sculpteur.
3 — Sainte — Masse.
4 — De l'ancienne Germanie — Situé.
5 — Prises par les mains.
6 — Qui exprime la gaieté — Impayées.
7 — Faire entrer l'air dans ses poumons.
8 — Centimètre — Victoire de Napoléon — Quelqu'un.
9 — Amas de pus — Pas vite.
10 — Raire — Mets entamé.

VERTICALEMENT

1 — Mammifère à queue aplatie — Voiture sur rails.
2 — Division d'une pièce de théâtre — Pied de vers.
3 — Ricaneuses — Démonstratif.
4 — Négation — Personne chargée de détruire les taupes.
5 — Ornements de l'écu d'un État.
6 — Années — Radon.
7 — Épaule de cheval — Parfaite.
8 — Ouvrier qui lisse — En matière de.
9 — Prend un liquide dans un récipient — Possèdent.
10 — Issues — État d'une personne dont l'organisme fonctionne bien.

HORIZONTALEMENT

1 — Exécute des mouvements sur une musique — Impôt.
2 — Ouïr — C'est-à-dire.
3 — Démonstratif — Conformité (pl.).
4 — Lettres.
5 — Rigoler — Revenu annuel.
6 — Dans — À la fin de la messe — Trois fois.
7 — Inséré de nouveau.
8 — Munit — Montagne de Grèce.
9 — Extrémité de l'aile — Figure le rire.
10 — Sainte — Qui contiennent de la soude.

VERTICALEMENT

1 — Orner — Expert.
2 — Terme de tennis — Original.
3 — Inscrire — FIlle d'Eurytos.
4 — Connu — Couverte de peinture.
5 — Boîte destinée à contenir un objet — Souverains russes.
6 — Vestibule — Lac des Pyrénées.
7 — Cuire par friture — Circulaire.
8 — Osée.
9 — Petit repos pris en après-midi — Infusion.
10 — Démonstratif — Vagabondais.

HORIZONTALEMENT

1 — Ouvrier qui travaille le bois.
2 — Nouer — Bande d'acier.
3 — Boxeur célèbre — Qui aime rire.
4 — Jeux célébrés à Némée — Rivière des Pyrénées.
5 — Victoire de Napoléon — Qui lui appartient.
6 — Dans — Acheteur.
7 — Habitantes de la Terre.
8 — Longue pièce de bois — Tellure.
9 — Moqueries collectives — Saison.
10 — Adverbe de lieu — Avoir du succès.

VERTICALEMENT

1 — Orignal — Étend.
2 — Mammifère marin — À la mode.
3 — Étêté — Très court.
4 — Issu — Petit récipient qui contient de l'encre.
5 — Jamais réalisée.
6 — Indium — C'est-à-dire — Connu.
7 — Nattent.
8 — Liquide incolore et inodore — De naissance (fém. pl.).
9 — Herbe aquatique vivace — Titane.
10 — Partie de l'intestin grêle — Transpirer.

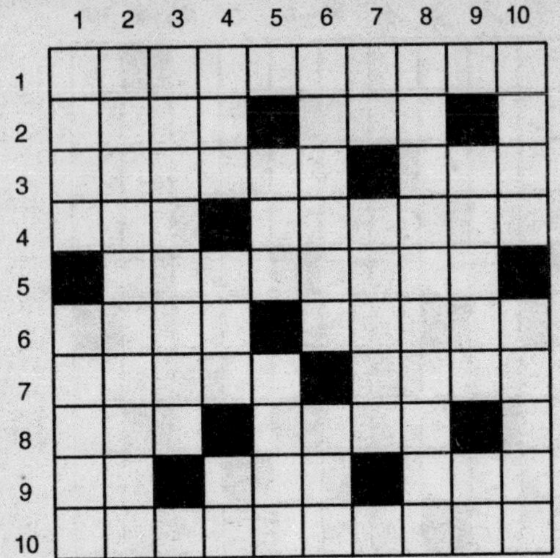

HORIZONTALEMENT

1 — Bienveillantes.
2 — Bramer — Empesta.
3 — Imaginaire — Coule à Innsbruck.
4 — Durillon — Soeurs de la mère.
5 — Action de nier.
6 — Défaut héréditaire — De naissance.
7 — Substance grasse — Petite baie.
8 — Saison — Investissement.
9 — Sélénium — Du verbe gésir — Époque.
10 — Appareil ménager servant à essorer (pl.).

VERTICALEMENT

1 — Argent — Ensemble de travaux présentés dans le but de l'obtention d'un doctorat.
2 — Membres de l'équipage d'un aérostat.
3 — Industrie du verre.
4 — Unité monétaire du Danemark — Gelée — Jeu d'origine chinoise.
5 — Lettre grecque — Prince musulman.
6 — Rendu plat — À la fin de la messe.
7 — Avalé — Petit cigare.
8 — Garnies de fils de laiton.
9 — Nichons — Île de France.
10 — Bruits — Organes génitaux.

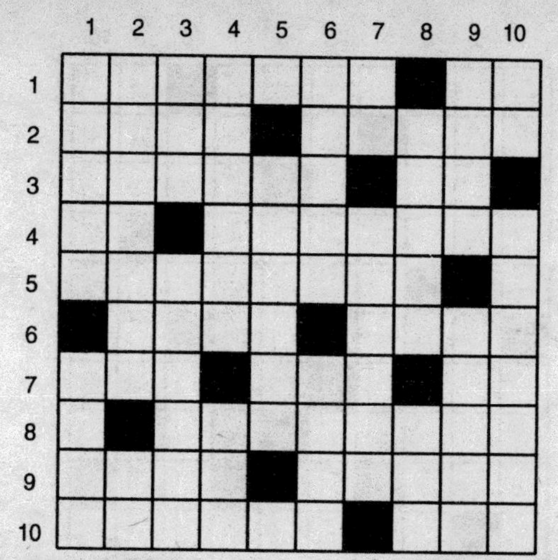

HORIZONTALEMENT

1 — Instrument de musique — Roulement de tambour.
2 — Vase — Religion prêchée par Mahomet.
3 — Ignorant — À la mode.
4 — Petit cube — Qui n'est pas apprivoisé.
5 — Entourer.
6 — Attire vers soi — Opinion.
7 — Récipient en terre réfractaire — Écorce — Tour.
8 — Apporterai.
9 — Sur la croix — Semence des céréales.
10 — Qui est la proie d'une obsession — Allez, en latin.

VERTICALEMENT

1 — Personne qui accompagne — Groupe de trois personnes.
2 — Pressante — Notez bien.
3 — Coule à Innsbruck — Instrument de musique indien (pl.).
4 — En publicité, une aguiche — Partie du pain.
5 — Disette.
6 — Personne qui rit — Être spirituel.
7 — En matière de — Orner en imitant les veines du bois.
8 — Ancienne monnaie française — Rayon.
9 — Suite de personnes sur une ligne — Existait.
10 — Avant-midi — Alcaloïde toxique.

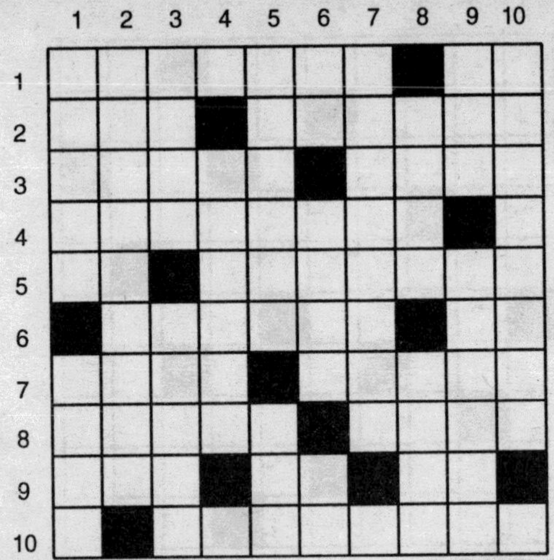

HORIZONTALEMENT

1 — Souffle — Palladium.
2 — Critique italien — Polluée.
3 — Qui rend service — D'un niveau élevé.
4 — Sourires.
5 — ÉlectronVolt — Fait de servir à quelque chose.
6 — Imaginaire — Coutumes.
7 — Enlever — Plaques de neige.
8 — Courroies fixées au mors du cheval — Messire.
9 — Orient — Quelqu'un — Nickel.
10 — Empiler.

VERTICALEMENT

1 — Soixante minutes — Bordure du bois.
2 — Occupations.
3 — Règlements — Revenu annuel.
4 — Appât.
5 — Plante à fleurs jaunes — Idiot.
6 — Négation — Qui t'appartient — Mot d'enfant.
7 — Escabeaux.
8 — Ville de Roumanie — Boissons obtenues de la fermentation du raisin.
9 — Pas beaucoup — Carnage.
10 — Désarroi.

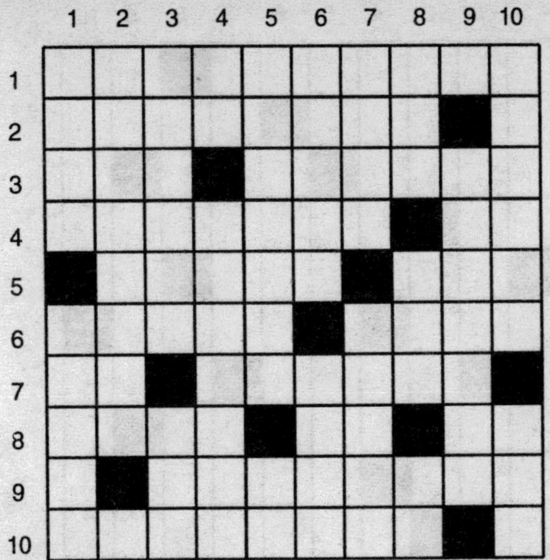

HORIZONTALEMENT

1 — Crue des eaux.
2 — Émission présentant diverses attractions.
3 — Sourit — Astre du jour.
4 — Alcaloïde toxique — Silicium.
5 — Banc — Signal de détresse.
6 — Partie du pied — Personnage qu'incarne un comédien.
7 — Année — Partie de la corolle d'une fleur.
8 — Enlevée — Diminutif d'Edward — Liaison.
9 — D'Oran (fém.).
10 — Emploi où l'on est très payé pour peu de travail.

VERTICALEMENT

1 — En état d'ébriété — Insectes piqueurs.
2 — Venant au monde.
3 — Doigt de pied — Agent secret de Louis XV.
4 — Nickel — Refait une chirurgie.
5 — Destine à un poste — Actinium.
6 — Sans tonicité — Mince.
7 — Télévision — Appareil de radiorepérage.
8 — Baie du Japon — Note — C'est-à-dire.
9 — Seules.
10 — Se dit d'un avion — Utile au golf.

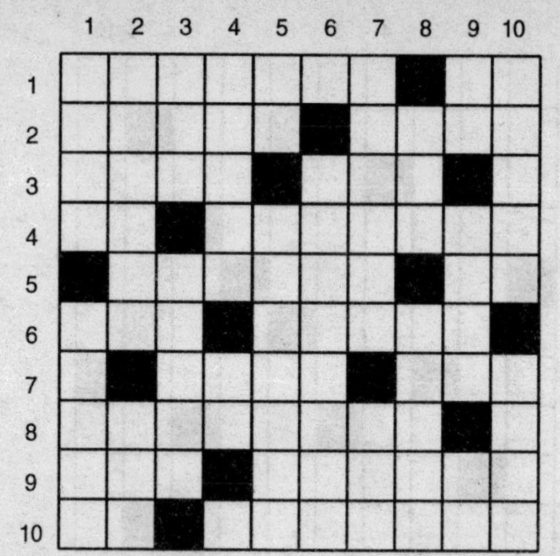

HORIZONTALEMENT

1 — Unir — Éminence.
2 — Herbe couverte de poils — Suça le lait.
3 — Opinion — Village russe.
4 — Obtenu — Chandelles.
5 — Venelle — Île de France.
6 — Récipient de terre réfractaire — Monnaie d'Italie (pl.).
7 — De plus — Possessif.
8 — Rendra moins lourd.
9 — Partie du pain — Protège le matelas.
10 — Lien grammatical — Être porté par l'eau.

VERTICALEMENT

1 — Allégresse — Fils tendus sur le métier à tisser.
2 — Déchet — Pucier.
3 — À la fin de la messe — Qui rend service.
4 — Fille de la soeur — Tellure.
5 — Petit cube — Interdit par la loi.
6 — Mélange confus.
7 — Allonger — Rongeur.
8 — Unité de travail — Existait.
9 — Liaison — Anneau de cordage — Sélénium.
10 — Massue — Transpirer.

HORIZONTALEMENT

1 — Mythique.
2 — Liquide extrait du sang par les reins — Regardes.
3 — Trois fois — Vaisseaux ramenant le sang vers le coeur.
4 — Enlevées — Nickel.
5 — Attaché — Raisonnable.
6 — Onguent à base de cire et d'huile.
7 — American Telephone and Telegraph — Laid.
8 — Gros chat mâle — Coule à Innsbruck.
9 — Salut, en latin — Rire un peu.
10 — Période pendant laquelle des examens ont lieu — Sélénium.

VERTICALEMENT

1 — Gnome — Tas.
2 — Époque — Période de huit jours.
3 — Personnes qui changent souvent d'opinion.
4 — Dans — Trois fois.
5 — Plaque de neige — Abasourdi.
6 — Estonie — Elle fut changée en génisse.
7 — Averti — Nom d'une chanteuse québécoise de plus en plus connue internationalement.
8 — Atome — Démentent.
9 — Bagatelles — Première page d'un journal (pl.).
10 — Pièces dont les extrémités entrent dans le moyeu des roues — Note.

HORIZONTALEMENT

1 — Élévation du sol.

2 — Hydrogène arsénié — Manie.

3 — Tantale — Dans une expression signifiant «mettre de côté».

4 — Qui est en feu — Tellure — C'est-à-dire.

5 — Éliminas.

6 — Quelqu'un — Océan.

7 — Orient — Culotte servant de sous-vêtement.

8 — Qui professent le déisme — Coutumes.

9 — Qui soufflent du Nord, en Méditerranée orientale.

10 — En argot, nez (pl.) — Sueur.

VERTICALEMENT

1 — Début du jour — Paradis.

2 — Agitée, troublée.

3 — Notre-Seigneur — Pourvues.

4 — Allongent — Sainte.

5 — Recueil de bons mots — Vérifies.

6 — Charmantes.

7 — Démonstratif — Déesse égyptienne.

8 — Lettre grecque — Adénosine MonoPhosphate cyclique — Obtenu.

9 — Qui prend les couleurs de l'arc-en-ciel — Première page d'un journal.

10 — Division d'une pièce de théâtre — Mauvais cheval.

HORIZONTALEMENT

1 — Manque d'application.
2 — Qui contient de l'acier — Patrie d'Abraham.
3 — Pou — Plante potagère.
4 — Baie du Japon — Par opposition à cela.
5 — Squelette — Bandits qui parcourent les mers.
6 — Relatif au nez — Animal.
7 — International Telephone and Telegraph — Facile.
8 — Risquaient — Familier.
9 — Maladie éruptive — Possessif.
10 — En matière de — Murmure doucement.

VERTICALEMENT

1 — Peuple — Ornement en forme d'oeuf.
2 — Natives de l'Écosse.
3 — Lieu où l'on trouve à se loger — Vedette.
4 — Prénom masculin — Cour intérieure des maisons de type espagnol (pl.).
5 — Iridium — Poil des paupières — Choisi.
6 — Administrer — Baudets.
7 — Sorte (péj.).
8 — Absence de vêtements sur le corps (pl.) — Tour.
9 — Éclat de voix — Écimer.
10 — Située — Utilise.

HORIZONTALEMENT

1 — Idées fixes.
2 — Sel de l'acide urique — Ruade.
3 — Familier — Unité de mesure d'intensité de courant électrique (pl.).
4 — De l'Italie — Possessif.
5 — Ruminant des Andes — Gaz intestinal.
6 — Lithium — Dieu des vents.
7 — Rigolé — Gelée — Cobalt.
8 — Pause — Notre-Seigneur.
9 — Trois fois — Tellure — Durée de la vie.
10 — Propres à l'âne (fém.).

VERTICALEMENT

1 — Instrument — Manqua.
2 — Actes brutaux.
3 — Possessif — Allié — Opération postale.
4 — Exposa des marchandises — Germanium.
5 — Demi — Humé.
6 — Dynamisme — Limitée.
7 — Évêque de Lyon, Père de l'Église.
8 — Patrie d'Abraham — Imitation de bijou — Année.
9 — Venues au monde — Suit le bord de.
10 — Mot magique qu'a prononcé Aladin — Possessif.

HORIZONTALEMENT

1 — Relatives aux parents.

2 — Transmise par la voix — Pucier.

3 — Rongeur — Démenti — Alcooliques Anonymes.

4 — Qui t'appartient — Vieux oui.

5 — Céréales.

6 — Anarchiste — Qui a une saveur aigre.

7 — Souhait — Voisin de l'Iraq.

8 — Pronom personnel — Sel de l'acide nitrique.

9 — Herbe aquatique vivace — Baie du Japon.

10 — Utiliseras.

VERTICALEMENT

1 — Lieu où accostent les bateaux — Accepté.

2 — Animaux à huit pattes.

3 — Manqueras — Indique le choix.

4 — Article espagnol — Naseaux.

5 — Négation — Cérémonial.

6 — Victoire de Napoléon — Trois fois.

7 — Bière — Prince musulman.

8 — Lithium — Tenterais.

9 — Pièce de charpente — Rongeurs.

10 — Atteintes d'aliénation mentale.

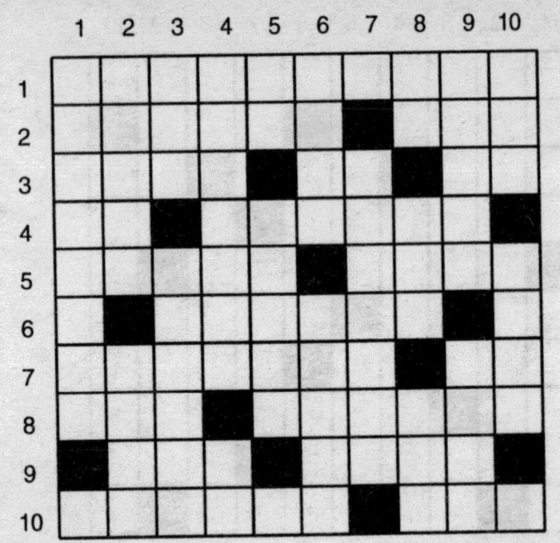

HORIZONTALEMENT

1 — Habitante du Québec.
2 — Plaie — Qui reste sans résultat.
3 — Aussi — Pascal — Plutonium.
4 — Erbium — Éperon d'un navire.
5 — Ne pas dire — À une heure avancée.
6 — Précipitation congelée (pl.).
7 — Découvrir — Terminaison.
8 — Inflorescence — Issue.
9 — Saison — Pronom personnel.
10 — Femme de très grande taille — Terme de tennis.

VERTICALEMENT

1 — Tranquillité.
2 — Celui qui professe des opinions extrêmes — Rapière.
3 — Critique italien — Encouragea.
4 — Tartinée de beurre — Dans.
5 — Erbium — Chas (pl.).
6 — Pieds de vigne — Prison.
7 — Consterné.
8 — À la mode — Très court — Cachés.
9 — Supercarburant — Irlande.
10 — Choisi — Rigide (fém.).

HORIZONTALEMENT

1 — Réunir.
2 — Posséder — Bassin où boivent les animaux.
3 — Prononcé — Piquant de certains végétaux.
4 — Disciplines artistiques — Coule à Grenoble.
5 — Roi d'un petit pays.
6 — Notre-Seigneur — Qui ne sont pas mûres.
7 — Parole stupide — Critique italien.
8 — Béryllium — Ville du Japon — Argon.
9 — Sel de l'acide urique — Aigre (fém.).
10 — Reptiles.

VERTICALEMENT

1 — Appareil de radiorepérage — Excès.
2 — Ramer.
3 — Ânerie — Expert.
4 — Silicium — Saint — Éructe.
5 — Époque — Contourner.
6 — Broyées.
7 — Embrasser — Utilise.
8 — Instrument d'optique — Article indéfini.
9 — Ville de Hongrie — Distance.
10 — Île de France — Débarrassés de l'eau dont ils sont imprégnés.

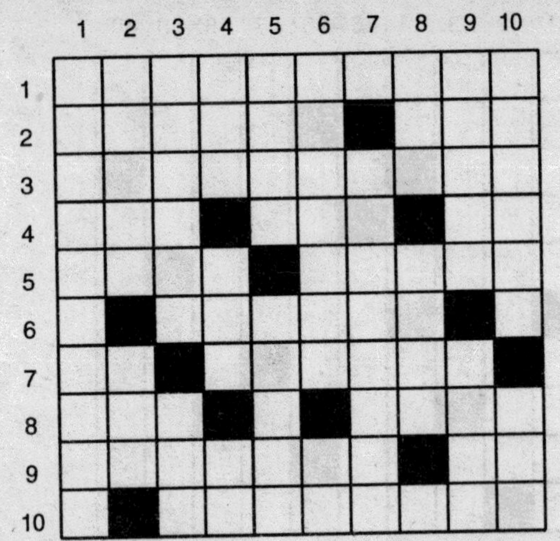

HORIZONTALEMENT

1 — Bénéfiques.
2 — Divertir — Boxeur célèbre.
3 — Côtes des petits animaux de boucherie.
4 — Période d'activité sexuelle — Sainte — Commandement.
5 — Colères — Comédien prénommé Léo.
6 — Vapeur d'eau qui se dépose le matin (pl.).
7 — Masc. de elle — Fus utile.
8 — Situation difficile à juger — Affluent de la Dordogne.
9 — Bavais — Iridium.
10 — Imbibé d'un liquide.

VERTICALEMENT

1 — Immolations de victimes.
2 — Tendresse — Petite étendue d'eau.
3 — Combattre — Point cardinal.
4 — Utilise — Signal de détresse — Pronom personnel.
5 — Semblables — Lieu où se réunissent les sénateurs.
6 — Ligne saillante formée par la rencontre de deux pans de couverture — Terminaison.
7 — Transmis par télévision.
8 — Rongeur — Déesse égyptienne.
9 — Hissa — Sous-vêtement.
10 — Agaves du Mexique — Époque.

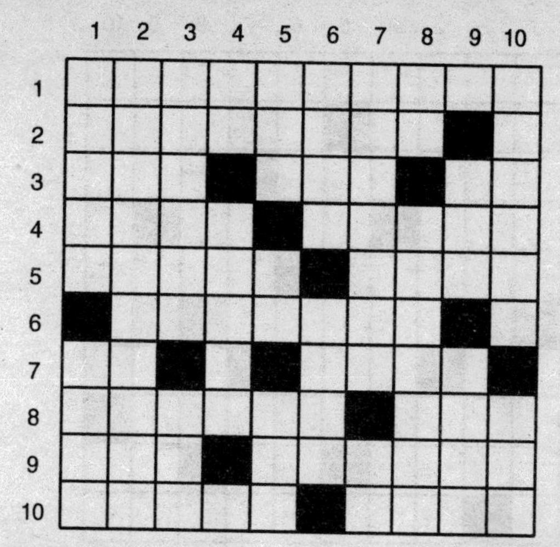

HORIZONTALEMENT

1 — Ensembles de mesures thérapeutiques.
2 — Dirigeable, ballon.
3 — Voiture sur rails — Métal — Francium.
4 — Commune de Suisse — Rayé.
5 — Gamins de Paris — Monnaie japonaise (pl.).
6 — Sinuosité d'un fleuve.
7 — Sélénium — Capitale de la Norvège.
8 — Bâtir — Dépôt du vin.
9 — Douleur — Qui existe depuis peu.
10 — Crochets — Poursuit en justice.

VERTICALEMENT

1 — Vieille voiture — Mis en terre.
2 — Ramèneras à la vie.
3 — Interrompt — Eux.
4 — Elle fut changée en génisse — Dialecte chinois.
5 — Téléphonie Sans Fil — Étain — Lentille.
6 — Saisons — Recouvert d'or.
7 — Personnes torturées pour leur religion — Démonstratif.
8 — Liaison — Vraies.
9 — Terminaison — Consacré par l'onction liturgique.
10 — Religieuse indienne gagnante d'un prix Nobel — Période des chaleurs.

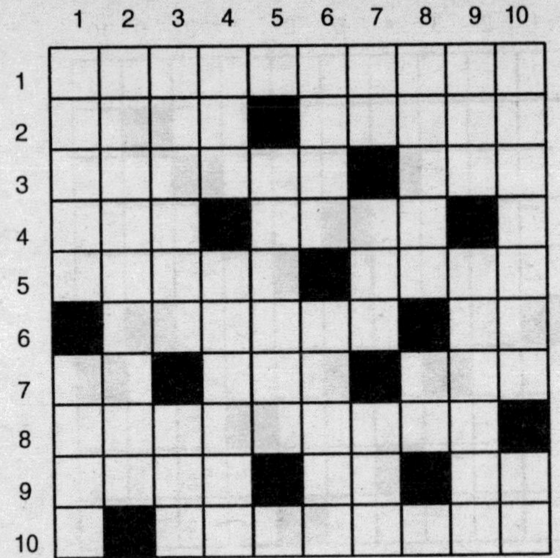

HORIZONTALEMENT

1 — Paroles grossières.
2 — Fils d'Isaac et de Rébecca — Louange.
3 — De Nubie — Éructation.
4 — Opération postale — Lieu où accostent les bateaux.
5 — Rendu plus pur — Dévidoir qui sert à tirer la soie des cocons.
6 — Concurrents — Argon.
7 — Erbium — Monnaie du Japon — Lentille.
8 — Lien entre un père et ses enfants.
9 — Risquée — Patrie d'Abraham — Lui.
10 — Coquin.

VERTICALEMENT

1 — Action d'échanger une marchandise contre de l'argent — Épieu.
2 — S'approprieras indûment.
3 — Pièce inférieure de l'appareil buccal — Utile au golf.
4 — Sous lequel on s'embrasse à Noël — Astucieuses.
5 — Nommer les lettres d'un mot une par une.
6 — Ville du Nevada — Lassitude.
7 — Pronom personnel — Très court — Colère.
8 — Préjudice (pl.) — Lien grammatical.
9 — Le moi — Tel.
10 — Chiens — Largeur d'une étoffe.

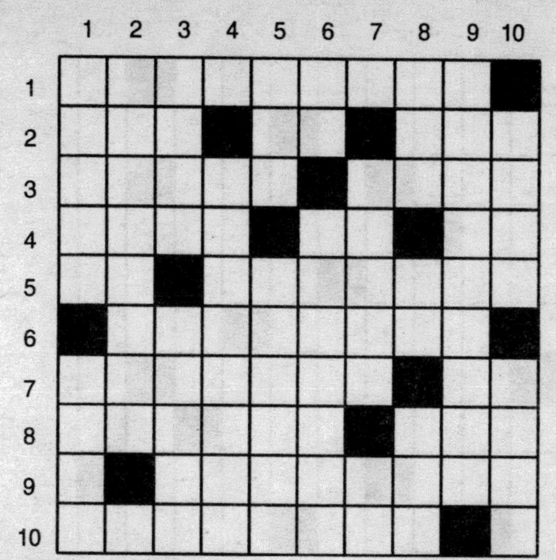

HORIZONTALEMENT

1 — Présente des arguments.
2 — Atome — Coutumes — Pron. indéfini (pl.).
3 — Commune du Rhône — Excrément.
4 — Boîte destinée à contenir un objet — Argon — Radon.
5 — Note — Unité de longueur en imprimerie (pl.).
6 — Petit du lion.
7 — Il dit des choses fausses — Tour.
8 — Tire vers lui — Pas beaucoup.
9 — Complètes.
10 — Imaginaire.

VERTICALEMENT

1 — Adorer — Époux.
2 — Roi d'un petit pays.
3 — Mammifère ongulé d'Afrique du Sud — Interurbain.
4 — Alcaloïde du tabac.
5 — Du verbe mouvoir — Sans mouvement.
6 — En matière de — Manière de recevoir.
7 — Inventer — Article espagnol.
8 — Assassina — Roulement de tambour — Prairie.
9 — Recouverte d'une croûte.
10 — Marque la privation — Finesse.

HORIZONTALEMENT

1 — Combat entre deux groupes armés.
2 — Bois noir — Exister.
3 — Partie d'un tout — Plaque de neige.
4 — À la mode — Modèle utilisé pour contrôler les dimensions.
5 — Paradis — Enlève le savon.
6 — Aplanit — Liquide incolore et inodore.
7 — Relatif au nom d'une personne.
8 — Sorte d'assiette large et creuse — Squelette.
9 — Place — Petit loir gris.
10 — Saison — Époques.

VERTICALEMENT

1 — Signe astrologique — Touché.
2 — Grande quantité.
3 — Récipient en terre réfractaire — Dont on a coupé le bout.
4 — Année — Lutin.
5 — Victoire de Napoléon — Écorce de la tige du chanvre.
6 — Provoque l'oscillation.
7 — Dressai — Ventilé.
8 — Sans commencement ni fin — Métal précieux.
9 — Ville du Pérou — Enlève.
10 — Personnes qui font passer des tests.

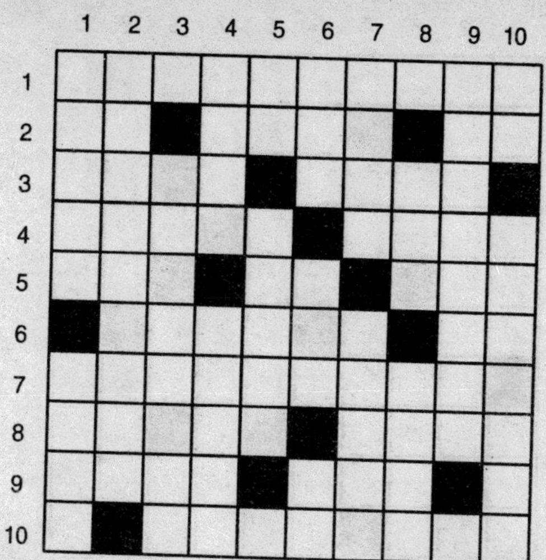

HORIZONTALEMENT

1 — Prostituée d'un rang social élevé.
2 — Aluminium — Vase — Quelqu'un.
3 — Impôt versé à l'Église — Ville du Japon.
4 — Lavabo — Puni.
5 — Écorce — Astate — Trois fois.
6 — Jeune pousse de l'asperge — Lawrencium.
7 — Relative aux artères.
8 — Souveraine — Ruade.
9 — Détériorée — Monnaie roumaine.
10 — Demandes écrites ou verbales.

VERTICALEMENT

1 — Élève officier — Pied-de-veau.
2 — Verdâtres.
3 — Registre contenant les minutes des actes d'un notaire.
4 — Mouvement impétueux d'une foule — Prénom féminin.
5 — Tour — Réer.
6 — Fille de Cadmos — Pronom personnel — Parcouru des yeux.
7 — Terme de tennis (pl.) — Dieu grec de la mer.
8 — Ensemble de napperons — Brille.
9 — Information diffusée.
10 — Dans — Imaginaires.

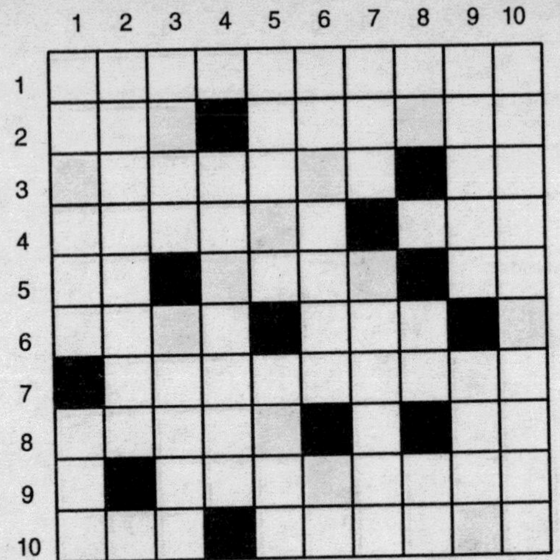

HORIZONTALEMENT

1 — Action de trouver ce qui était inconnu.
2 — Terme de tennis — Déterminer la place.
3 — Personne qui aime faire la noce — Mot d'enfant.
4 — Accompagner — Publicité.
5 — Liaison — Ventilé — Article espagnol.
6 — Filet pour la pêche — Roi de Hongrie.
7 — Commencement de la vie.
8 — Excrément — Argon.
9 — Première lettre d'un nom.
10 — Partie d'une église — Exploitations agricoles.

VERTICALEMENT

1 — Faire des mouvements rythmés par une musique — Agent secret de Louis XV.
2 — Prêtent attention.
3 — Par opposition à cela — Prix.
4 — Action de s'échapper de prison.
5 — Détérioration — Évoque le bruit du reniflement.
6 — Poursuivras un résultat — Tellure.
7 — Saison — Stupéfier.
8 — Petit ruisseau — Année — Avant-midi.
9 — Mince — Instruit, savant.
10 — Plantation d'érables (pl.).

HORIZONTALEMENT

1 — Épargner.
2 — Acheminer dans une direction déterminée.
3 — Patrie d'Abraham — Lui — Vedette.
4 — Paletot — Onomatopée marquant le mépris.
5 — Prince musulman — Seul.
6 — De la mer Égée — Pas beaucoup.
7 — Bière — Qui ont peu de poids.
8 — Dessinateur humoriste français.
9 — Qui mène une vie exemplaire — Rongeurs.
10 — Lettre grecque — Élargi.

VERTICALEMENT

1 — Mousse blanchâtre — Petite baie.
2 — Friandise faite de sucre et de crème — Astate.
3 — Quelqu'un — État d'Afrique occidentale.
4 — Venir au monde — Dans.
5 — Exclamation espagnole — Ce qu'il y a de plus distingué.
6 — Demi — Pli de la cuisse (pl.).
7 — Nés — Administra.
8 — Terme de tennis — Oeuvre théâtrale mise en musique (pl.).
9 — Écorcher — Tellure.
10 — Ricaneuses.

HORIZONTALEMENT

1 — Améliorer une terre par l'apport d'engrais.
2 — Inflammation de l'iléon — Utilisé.
3 — Or — Pris de nouveau.
4 — Instrument servant à couper le bois — Éructer.
5 — Supports à crochet sur lesquels on suspend les vêtements — Sélénium.
6 — Poème lyrique — Obtenues.
7 — Vagabondes — Semblable.
8 — La peinture en est un — Article — Titane.
9 — Dont on ne se sert pas habituellement (pl.).
10 — Sortis du néant — Finesse.

VERTICALEMENT

1 — Échec — Courbe.
2 — Éclaircir ce qui était confus.
3 — Note — Manque absolu d'activité.
4 — Petit trait horizontal — Issu.
5 — Allez, en latin — Choisis de nouveau.
6 — Atteintes d'une maladie infectieuse chronique.
7 — Fleur — Titre anglais.
8 — Accompagne — Saint — Familier.
9 — Crochets — Saisons.
10 — Île de France — Concrétisé.

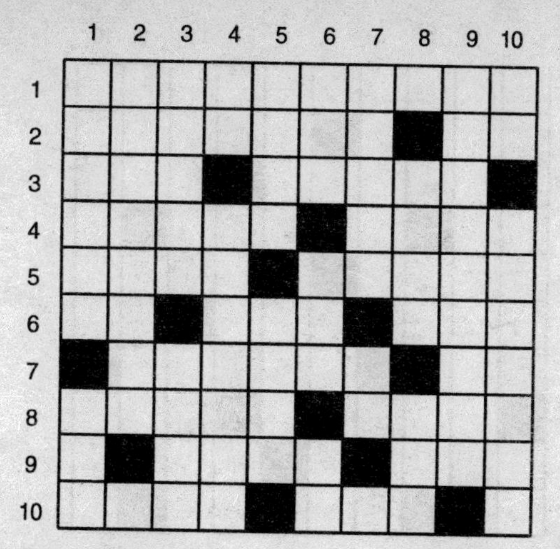

HORIZONTALEMENT

1 — Mettre en harmonie.
2 — Rendre plus doux — Largeur d'une étoffe.
3 — Période d'activité sexuelle — Souveraine.
4 — Rabattue — Liquide qui coule dans les arbres.
5 — Enlever — Accompagnas.
6 — Issu — Inflorescence — Et cetera.
7 — Tourne en ridicule — Elle fut changée en génisse.
8 — Encercla — Couturier français.
9 — Volcan de la Sicile — Possèdent.
10 — Astuce — Négation.

VERTICALEMENT

1 — Grappin — Durillon.
2 — Violation du devoir de fidélité entre les époux.
3 — Tranche de pain grillée — Unité de mesure agraire (pl.).
4 — Du verbe mouvoir — Critiqué avec violence.
5 — Couleur brun-jaune — Modèle à suivre en construction.
6 — Démenti — Céréale — Année.
7 — Qui a pris les couleurs de l'arc-en-ciel — Diminutif d'Edward.
8 — Nichon — Atome.
9 — Fait de s'élever.
10 — Note — Conduit.

HORIZONTALEMENT

1 — Incapacité d'attendre.
2 — Fondateur de l'Oratoire d'Italie — Jetais en l'air les pattes de derrière.
3 — Effleurer — Écart entre des choses.
4 — Actinium — Copié.
5 — Grand-mère — Rendu terne.
6 — Immobiles — Erbium.
7 — Liquide incolore et inodore — Indocile.
8 — Occlusion intestinale — Choisi.
9 — Disposés — Baudets.
10 — Tellure — Allongea.

VERTICALEMENT

1 — Déshonneur — Platine.
2 — Soldat recruté pour de l'argent par un gouvernement étranger.
3 — Professionnel — Gros tas de foin.
4 — Joueur placé aux extrémités de la ligne d'attaque — Saison.
5 — Éminence — Groupement d'entreprises.
6 — Énervées.
7 — Obtenu — Épreuve — Argon.
8 — Faire de la natation — Victoire de Napoléon.
9 — Central Intelligence Agency — Fruit du néflier.
10 — Espérance — Utilisé.

HORIZONTALEMENT

1 — Elle s'occupe des jardins.

2 — Ancien do — Mesure agraire (pl.) — Astate.

3 — Celles qui donnent.

4 — Oublié — Consommer une cigarette.

5 — Opinion — Irlande.

6 — En matière de — Première page d'un journal — Intensité sonore d'un appareil.

7 — Frayeur — 3,1416 — Issu.

8 — Lentille — Dans le nom d'un magazine où on trouve des résumés de livres ou d'articles.

9 — Vagabondent.

10 — Cachet qui authentifie — Appât.

VERTICALEMENT

1 — Art martial — Rapières.

2 — Vaporiser.

3 — Habitation — Détériorée.

4 — Celui qui fait du ballet — Roulement de tambour.

5 — Colère — Dans — Touffu.

6 — Qui n'a pas servi — Espionné.

7 — Née — Qui est en feu.

8 — Publié — Et le reste.

9 — Couperons au ras de la peau.

10 — Liaison — Outil tranchant pour tailler le sabot du cheval.

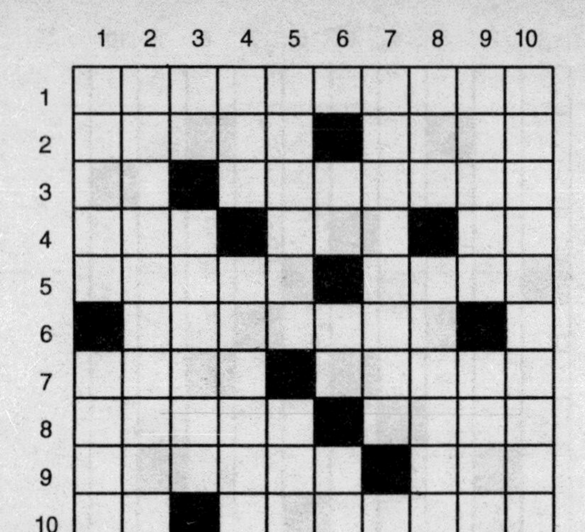

HORIZONTALEMENT

1 — Grosses voitures aux vitres teintées.
2 — Moyen de réussir — Ville de la Côte d'Azur.
3 — 3,1416 — Celui qui fait passer des tests.
4 — Fille de Cadmos — Voie urbaine — Lawrencium.
5 — Fils de la soeur — Garni, en parlant d'un voilier.
6 — Dissipe les craintes.
7 — Terrains que la mer laisse à découvert en se retirant — Monture.
8 — Commune des Deux-Sèvres — Siège de la conception.
9 — Frangins — Revêt.
10 — Tellure — Allongées.

VERTICALEMENT

1 — Petit mammifère rongeur à grandes oreilles — Ancien entrepôt transformé en logement.
2 — Trajet.
3 — Molybdène — Glande femelle où se forment les ovules.
4 — Terme de tennis — Fait sécher.
5 — Matrice — Propre.
6 — Connu — Coutumes — Silicium.
7 — Incorruptibles.
8 — Démenti — Remis debout.
9 — Usé — Attachée.
10 — Poignées de main.

HORIZONTALEMENT

1 — Tueuse.
2 — Spécialiste de l'actuariat.
3 — Note — Erbium — Crochet.
4 — Immobilisé — Écorce.
5 — Allez, en latin — Astre.
6 — Propres à la vieillesse — Éminence.
7 — Écolier — Exister.
8 — Écimera.
9 — La musique en est un — Assassina — Liaison.
10 — Qui soufflent du nord, en Méditerranée orientale.

VERTICALEMENT

1 — Embarras — Expert.
2 — Tirailler quelqu'un entre plusieurs choses.
3 — Ancien do — Outil tranchant pour tailler le sabot du cheval.
4 — Mouvement impétueux d'une foule — Plante à fleurs jaunes.
5 — Petite tarte.
6 — Rigolé — Saison — Obtenus.
7 — Colère — Tenterai.
8 — Estonie — Tantale.
9 — Assaisonner — Dans.
10 — Faits importants, marquants.

HORIZONTALEMENT

1 — Abri du chien — Gâteau imbibé de rhum.

2 — Habileté — À la mode.

3 — Souhait — Arbres.

4 — Terre entourée d'eau — Infusion d'herbages.

5 — Développer son germe, en parlant d'une graine. — Plante à fleurs jaunes.

6 — Organes du vol — En matière de.

7 — Épreuve — Orignal.

8 — Liaison — Déchets.

9 — Presser — Pascal.

10 — Note — Tremblements de terre.

VERTICALEMENT

1 — Personne qui fait de longs voyages sur mer.

2 — Vedette qu'on admire — Exister.

3 — Inventeras.

4 — Interjection qui marque l'embarras — Coiffures liturgiques.

5 — Existes — Pareil — Époque.

6 — Soirs.

7 — Berceaux — Sous-vêtements.

8 — Mois — Le compagnon d'Ève.

9 — Accueilli avec plaisir.

10 — Qui portent une anse — Possessif.

HORIZONTALEMENT

1 — Extrême abondance.
2 — Souffrir — Conspuer.
3 — Tour — Conduit.
4 — Aussi — Nous précipitons.
5 — Extrême pauvreté — Mouvement des pieds.
6 — Colère — Branche mère de l'Oubangui.
7 — Relatif à l'Ibérie — Métal précieux.
8 — Pareille — Congédia.
9 — Pronom personnel — Qui présentent une fêlure.
10 — Natives de la Suède.

VERTICALEMENT

1 — Qui voient la vie du bon côté.
2 — S'en aller — Choisi.
3 — Ancien do — Argent.
4 — Mesure de distance — Village éloigné.
5 — Lentille — Mouvement impétueux d'une foule.
6 — Inventer — Onomatopée marquant le dédain.
7 — Légume — Dressés.
8 — Partie du monde — Terre entourée d'eau.
9 — Volcan de Sicile — Désormais.
10 — Natteras.

HORIZONTALEMENT

1 — Roche — Bénéfique.
2 — Qui revient chaque année (fém.).
3 — Filet pour la pêche — Qui rend service.
4 — Choisir — Identique.
5 — Saison — Narine des cétacés.
6 — Huile essentielle obtenue par distillation des fleurs d'oranger — Lettre grecque.
7 — Astate — Unité de mesure du temps (pl.).
8 — Général américain — Notre-Seigneur.
9 — Première journée d'école — Mesure chinoise.
10 — Mis en circulation — Détériorées.

VERTICALEMENT

1 — Personne avec qui on est associé.
2 — Immobiles — Éminence.
3 — Complet — Ligue Nationale d'Improvisation.
4 — Astuce — Oublies.
5 — Note — Réunir.
6 — Choisi — Boisson obtenue de la fermentation du raisin — Obtenu.
7 — Limitée — Première page d'un journal (pl.).
8 — Pâte à crêpe enrobant un morceau de poisson que l'on fait frire (pl.).
9 — Planche — Largeur d'une étoffe.
10 — Fête de la Nativité — Installé sur un siège.

HORIZONTALEMENT

1 — Danses exécutées par quatre couples de danseurs.
2 — Patrie d'Abraham — Couvertes d'iode.
3 — Reptile de l'Amérique tropicale — Manche au tennis.
4 — Secte bouddhique du Japon — Souhaité.
5 — Noyau de la Terre — Homogène.
6 — Astre — Baudet.
7 — Ruelle — Dans.
8 — En matière de — Viscères pairs.
9 — Épreuve — Risqua.
10 — Parcourues des yeux — Estonie.

VERTICALEMENT

1 — Jeu de questions et réponses — Fait de sortir de son sommeil.
2 — Pressantes.
3 — Mariage — Tellure.
4 — Cri des charretiers — Altières.
5 — Petites tranches rondes.
6 — Opinion — Haute société.
7 — Largeur d'une étoffe — Connu — Adverbe de lieu.
8 — Épargna avec avarice — Signal de détresse.
9 — Alcaloïde toxique — Saint.
10 — Tellure — Greffai.

HORIZONTALEMENT

1 — Pousser des cris terribles — Armes avec lesquelles on tire des flèches.

2 — Écimées — Roulement de tambour.

3 — Cinéma — Détériorées.

4 — Interjection espagnole — Existant.

5 — Conducteurs des messages nerveux — Première page d'un journal (pl.).

6 — Pierre d'aigle.

7 — Doigt de pied — Partie du pain.

8 — Rayon — Qui est issu de l'union de deux personnes de couleur de peau différente.

9 — Siège de souverain — Infinitif.

10 — Vigueur, puissance (pl.).

VERTICALEMENT

1 — Consolation.

2 — Qui rend service — Peu fréquent.

3 — Ensemble de personnes qui descendent de quelqu'un.

4 — Allez, en latin — Génie féminin — Issu.

5 — Note — Avoir une bonne opinion de quelqu'un.

6 — Obtint — Terre entourée d'eau.

7 — Attaque — Opération postale.

8 — Rival.

9 — Excroissance charnue — Déesse égyptienne.

10 — Tamis — Apprise.

HORIZONTALEMENT

1 — Transmission légale des biens d'une personne décédée.
2 — Détériorées — Foyer.
3 — Le postérieur — Action de scier.
4 — Réunir — Possessif.
5 — Choisis — Piquant de certains végétaux.
6 — Blessée — Lui.
7 — Ville du Pérou — Petit fruit rouge.
8 — Bâti — Lettre grecque.
9 — Personnage représenté par un poisson à tête et corps de femme — Propre.
10 — Plante potagère (pl.).

VERTICALEMENT

1 — Friandises préparées avec du sucre.
2 — Familier — Appareil de levage.
3 — Se dit d'un téléphone que l'on transporte avec soi et dans la voiture.
4 — Démonstratif — Baie du Japon — Gelée.
5 — Crochet double — Lieu où se passe l'action théâtrale.
6 — Inventée — Erbium.
7 — Capucin — Du verbe périr.
8 — Ville du Japon — Atomes.
9 — Musicien qui joue de l'orgue.
10 — Issue — De la ville d'Élée.

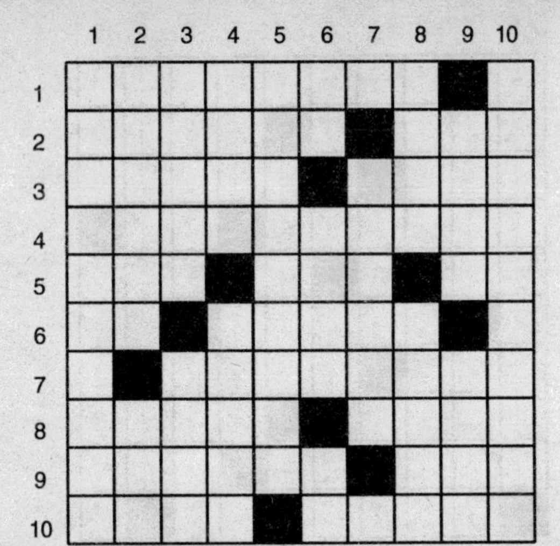

HORIZONTALEMENT

1 — Rouer de coups.
2 — Félin à fourrure très recherchée — Lettre grecque.
3 — Qui rend service — Poisson plat.
4 — Qui fait preuve de sévérité, stricte.
5 — Patriarche biblique — Éructation — Thallium.
6 — À la mode — Mesurer le poids.
7 — Enlevais.
8 — Utilisent — Bières.
9 — Écimés — Baudet.
10 — Le petit écran — Empereur romain.

VERTICALEMENT

1 — Appareil pivotant qui ne laisse entrer qu'une personne à la fois.
2 — Faculté d'agir — Sainte.
3 — Couleur brun clair — Vrai.
4 — Interjection servant d'appel — Dénivellation.
5 — Petite soeur.
6 — Saint — Rendu rose — Scandium.
7 — Célébrera.
8 — Parcouru des yeux de nouveau — Bougonnas.
9 — Épreuve — Victoire de Napoléon.
10 — Rembourrer.

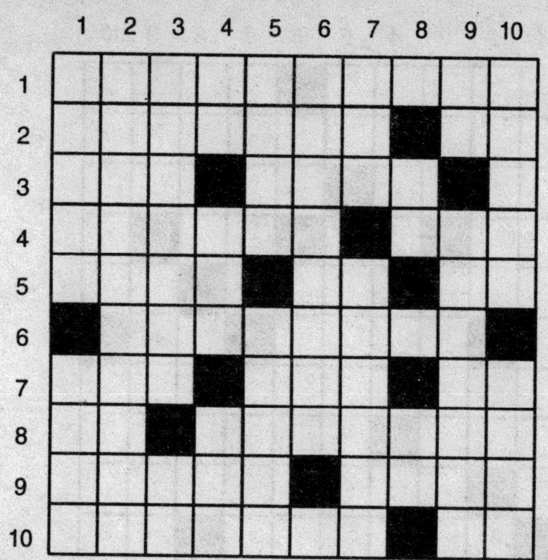

HORIZONTALEMENT

1 — Susceptible d'être blessé.
2 — Incroyables — Argent.
3 — Fibre textile — Voies urbaines.
4 — Hébergées — Colère.
5 — Baudets — Sénior — Dans.
6 — De l'Iran.
7 — Risqua — Afrique Équatoriale Française — Article indéfini.
8 — Ancien do — Historien français né en 1625.
9 — Punit — Bramer.
10 — Femme du tsar — Rigolé.

VERTICALEMENT

1 — Vaste maison avec jardin — Filez!
2 — Partisans du maintien de l'union dans un État confédéré.
3 — Côtoiera — Commandement.
4 — Dévêtu — European Space Agency — Allure.
5 — Irlande — Pourvu.
6 — Accomplies.
7 — Résine malodorante — Rapporté.
8 — Silicium — Largeur d'une étoffe.
9 — Article — Abréger un texte, une conversation.
10 — De la mer Égée — Fondateur de l'Oratoire d'Italie.

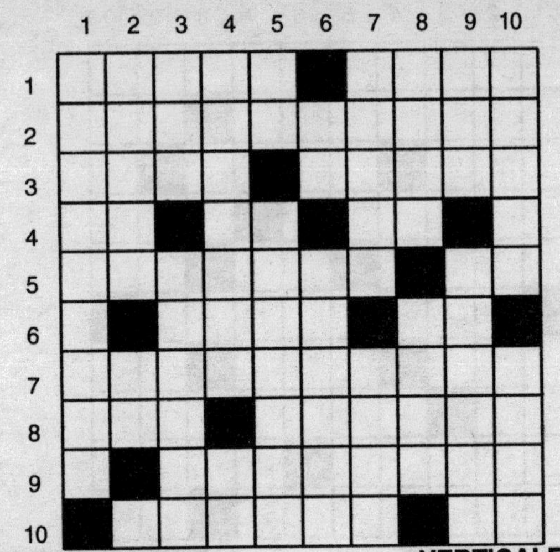

HORIZONTALEMENT

1 — Recueil de cartes géographiques — Petite pièce du jeu d'échecs.
2 — D'une douceur affectée.
3 — Enlevée — Se rendre.
4 — Île de France — Titane — Largeur d'une étoffe.
5 — Substance utilisée pour fabriquer des matériaux incombustibles — Expert.
6 — Limitée — Route rurale.
7 — Se disait d'un enfant né hors du mariage.
8 — Réponse positive — Calibrer.
9 — Se battre (se).
10 — Vapeur d'eau qui se dépose le matin (pl.) — Sélénium.

VERTICALEMENT

1 — Amour ardent pour quelqu'un.
2 — Représentation symbolique d'un animal chez les Amérindiens — Lutécium.
3 — Parcourue des yeux — Immédiatement.
4 — Sel de l'acide acétique — Squelette.
5 — Pronom personnel — Qui n'est pas unie.
6 — Roulement de tambour — Écorce de la tige de chanvre.
7 — Outil à manche servant à creuser la terre — Utiles au golf.
8 — Mille-pattes — Économiste français.
9 — Risqué — Ost (pl.).
10 — Conducteurs des messages nerveux — Vagabonde.

HORIZONTALEMENT

1 — Le fait d'arrêter l'école en cours de route.
2 — Arrivés à échéance — Pied-de-veau.
3 — Fermées — Germanium.
4 — Liquide incolore et inodore — Rayure.
5 — Note — Gros saucissons.
6 — Cours d'eau.
7 — Dieu grec de la mer — Sur la croix.
8 — Qui se transmet par la parole — Herbe couverte de poils.
9 — De plus — Touché.
10 — Relative à l'hôtellerie.

VERTICALEMENT

1 — Mort — Joueur de tennis français prénommé Yannick.
2 — Illuminer.
3 — Légume — Se rendrait.
4 — Petits ruisseaux — Mince.
5 — Lieu planté d'osiers — Article espagnol.
6 — Malpropre — Organisation Maritime Internationale.
7 — Interjection — Mettre à sec.
8 — Présenter des arguments.
9 — Rétabli d'une maladie — Fait des vers.
10 — Éminence — Pièce sous la voiture dont les extrémités entrent dans le moyeu des roues.

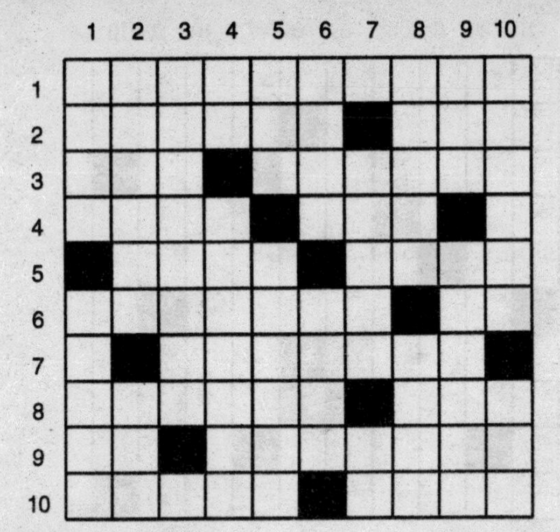

HORIZONTALEMENT

1 — Action de deux personnes qui s'embrassent.
2 — Illusion — Déplacement des oiseaux dans l'air.
3 — Tenta — Essence d'un individu.
4 — Né — Situé.
5 — Crochet double — Mis en terre.
6 — Conditions — Argon.
7 — Qui se fait avec des gestes.
8 — Onomatopée évoquant le bruit d'une sonnette — Vallée fluviale noyée par la mer.
9 — Rigolé — Crédit-bail (mot ang.).
10 — Mise — Petite baie.

VERTICALEMENT

1 — Émotion — Sorte de conifère.
2 — Livre qui contient les textes de liturgie de la messe — Sigle d'une ancienne formation politique.
3 — Action de brasser.
4 — Roulement de tambour — Dont on se sert fréquemment.
5 — Vieux — Pièce sous la voiture dont les extrémités entrent dans le moyeu des roues.
6 — Direction — Volcan de Sicile.
7 — Étoffe — Possessif.
8 — Averti — Irlande.
9 — Biens qu'apporte une femme en se mariant — Rusés.
10 — Hisser — Durée de la vie.

HORIZONTALEMENT

1 — Améliorer une terre par l'apport d'engrais.
2 — Personne qui rit — Sable mouvant.
3 — Baudet — Très courtes.
4 — État du Moyen-Orient — État de l'Inde occidentale.
5 — Saint — Réunira.
6 — Vêtements liturgiques — Erbium.
7 — Ancien nom de la Thaïlande — Rontgen Equivalent Man.
8 — Autrefois — Viscère pair.
9 — Allongent.
10 — Petite erse — American Telephone and Telegraph.

VERTICALEMENT

1 — Légèrement froid — Malpropre.
2 — Auteur de la théorie de la relativité.
3 — Bramer — Effleures.
4 — Familier — Substance odoriférante.
5 — Imaginaire — Démentit.
6 — Se rendre — Petit ruisseau.
7 — Eux — Coule à Grenoble.
8 — Banc — Accompagna.
9 — Tordu pour en extraire le liquide — International Telephone and Telegraph.
10 — Note — Frère de Moïse.

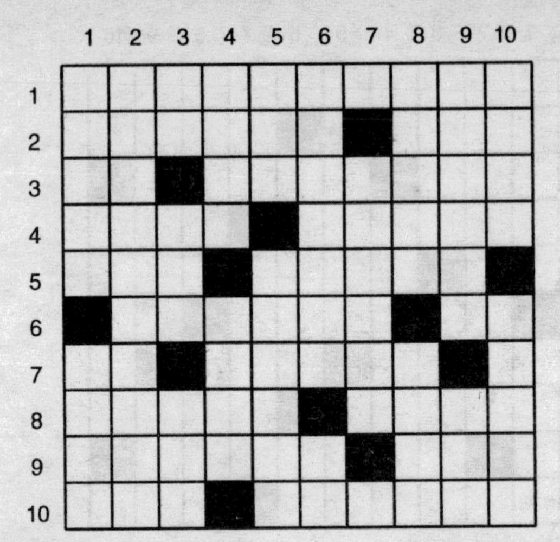

HORIZONTALEMENT

1 — Amphibien vivant au bord des mares et des étangs.
2 — Petite pièce retirée — Atome.
3 — Liaison — Choisissent.
4 — Opinion exprimée lors d'élections — Côtoie.
5 — Obtenue — Étoffe.
6 — Reconstruit — Dans.
7 — Année — Bordures de bois.
8 — Déchet — Suintas.
9 — Procédera à une opération postale — Lentille.
10 — Tamis — Recouvre le tronc de l'arbre.

VERTICALEMENT

1 — Arrêt de travail — Ensemble de disciplines artistiques.
2 — Ira de nouveau.
3 — Diminutif d'Edward — Utile au golf — Deux fois.
4 — Nuage — Poussière détrempée d'eau dans les rues.
5 — Ancien oui — Calcaire.
6 — Fait de servir à quelque chose — Actinium.
7 — Personnes ayant une ressemblance parfaite avec une autre.
8 — Servent à attacher — Suinter.
9 — Qui dure longtemps — Courbe.
10 — Greffé — Panier conique se terminant en pointe pour attraper le poisson.

HORIZONTALEMENT

1 — Rétribution versée aux professionnels.
2 — Plante voisine de la gesse — Substance grasse.
3 — Issu — Ovales.
4 — Arbre à fleurs odorantes — Année.
5 — Prophète — Jetait les pattes en l'air avec force.
6 — Ennuyait.
7 — Démonstratif — En matière de — Petits ruisseaux.
8 — Intégrer des personnes à un groupe social.
9 — Rapières — Obtenu.
10 — Mesurer le poids — Impayées.

VERTICALEMENT

1 — Déshonneur — Zone réservée pour les rassemblements de groupe.
2 — Organes de l'ouïe.
3 — Théâtre japonais — Paquets de billets de banque liés ensemble.
4 — Aumônes — Initiales d'une province maritime.
5 — Songe — Mettre en terre.
6 — Nom donné quelquefois à l'ensemble de l'Europe et de l'Asie.
7 — Celui-ci — Drogue hallucinogène.
8 — Thymus du veau — Foyer.
9 — Erbium — Paresseux — Dans l'urine.
10 — Décentes — Usages.

HORIZONTALEMENT

1 — Tranchante.
2 — Remerciement — Habitants.
3 — Pièce de bois servant d'élément de charpente — Aurochs.
4 — Détacher des fruits de leur tige.
5 — Membrane colorée de l'oeil — Bagatelle.
6 — Changea de peau — Métal — En matière de.
7 — Règlement — Liaison.
8 — Venelle — Utilise.
9 — À la mode — Désavantager.
10 — Espoirs.

VERTICALEMENT

1 — Établissement où l'on imprime des journaux, des livres.
2 — Nouveau — Petit ruisseau — Article indéfini.
3 — D'une importance extrême.
4 — Battement de la mesure d'un vers, dans la poésie antique — Interjection espagnole.
5 — Messire — Suivre.
6 — Irlande — European Space Agency.
7 — Commandement — Bouquiner — Dans.
8 — Rival — De la Turquie.
9 — Instrument de chirurgie.
10 — Tenter — Sueurs.

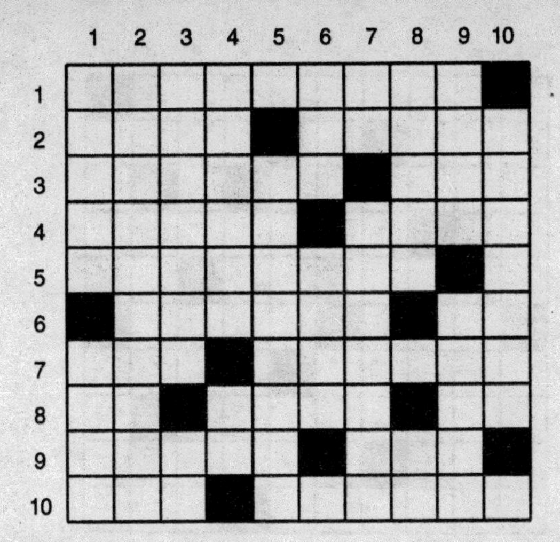

HORIZONTALEMENT

1 — Gaieté simple et communicative.
2 — Entendre — Enjoué.
3 — Matrice — Petits ruisseaux.
4 — Vagabondes — Épreuve.
5 — Colériques (fém.).
6 — Congelées — Avant-midi.
7 — Possessif — Éclat naturel ou superficiel.
8 — Connu — Interjection servant d'appel — Erbium.
9 — Corps céleste — Refus.
10 — Brame — Tamiser.

VERTICALEMENT

1 — Se divertir — Souverain russe.
2 — Injurieuse.
3 — Se dit de femmes qui n'ont jamais eu de relations sexuelles — Tellure.
4 — Imaginaire — Argon.
5 — Courantes.
6 — Fatigué — Isolé.
7 — À la mode — Débris d'un objet de verre.
8 — Attires vers soi — Squelette.
9 — Touchés — Étendue sableuse.
10 — Avoir une bonne opinion de quelqu'un.

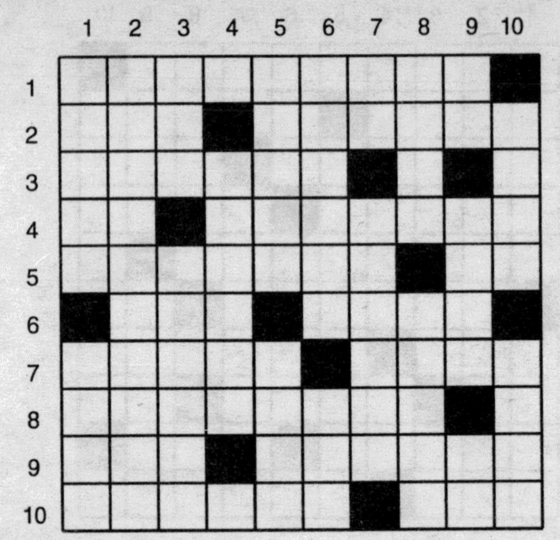

HORIZONTALEMENT

1 — Verre taillé servant dans les instruments d'optique (pl.).
2 — À la fin de la messe — Pleurs.
3 — Chien.
4 — Titane — Tirer un présage.
5 — Temples — Platine.
6 — Fleuve d'Afrique — Lieu.
7 — Fourneau — Démentir.
8 — Sourires.
9 — Lentille — Continent.
10 — Mouche — Aucun.

VERTICALEMENT

1 — Énumération — Disposé.
2 — Petits cônes métalliques avec lesquels on éteint les bougies.
3 — Propre — Allégresse.
4 — Coupe un tissu.
5 — Occlusion intestinale — Saisons.
6 — Amples — Assassiné.
7 — Lawrencium — Fabriquer en usine.
8 — Prince musulman — Morceau de bois brûlé en partie encore en feu.
9 — Sélénium — Rapière — Plutonium.
10 — Présente — Vrai.

HORIZONTALEMENT

1 — Penchant à faire du mal.
2 — Interrompre — Patrie d'Abraham.
3 — Je — Utiles au golf.
4 — Singe d'Amérique — Crâne.
5 — Nickel — Insulaires.
6 — Situées — Sachet.
7 — Unité de mesure d'intensité de courant électrique — Rhodium.
8 — Bramer — Mauvais cheval.
9 — Emportement.
10 — Existant — Saisons.

VERTICALEMENT

1 — Mère — Objet servant à se défendre.
2 — Caractère érotique.
3 — Hurlé — Racine vomitive.
4 — Interjection — Plante pourvue de fleurs à corolle en entonnoir, souvent blanches.
5 — Attacher un cheval à une voiture — Lieutenant.
6 — Issue — Coule à Grenoble.
7 — Excroissance charnue — Groupe de sporanges chez les fougères.
8 — Direction — Terme de tennis.
9 — Familier — Souverains russes.
10 — Grand Lac — Onéreux.

HORIZONTALEMENT

1 — Ingénue — Peu fréquent.

2 — Personnes qui pratiquent un art.

3 — Bramer — Ville de Roumanie.

4 — Petit ruisseau — Terme de tennis — Poisson rouge.

5 — Être à l'agonie.

6 — Effectuer une opération postale — Enlevas.

7 — Premier ministre de l'Ontario — Prêt à se vendre pour de l'argent.

8 — Yodler — Propre.

9 — Postérieur — Prénom masculin.

10 — Saisons — Écolier.

VERTICALEMENT

1 — Elle raconte une histoire.

2 — Onomatopée imitant les sons du bébé — Fête mondaine.

3 — Allez, en latin — Ancêtre (fém.).

4 — Changement de direction.

5 — En matière de — Travail pénible imposé.

6 — Qui t'appartient — Vagabonde.

7 — Roue à gorge d'une poulie — Atome — Pron. pers.

8 — Auditoire.

9 — Parfaite.

10 — Liaison — Lentille — Utile au golf.

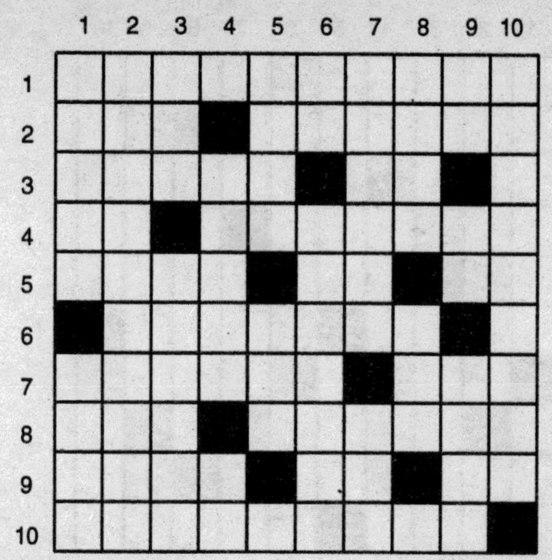

HORIZONTALEMENT

1 — Lieu où sont recueillis les enfants sans parents.
2 — Roue à gorge — Unité monétaire de l'Espagne.
3 — Chipie — Métal précieux.
4 — Coutumes — Ce qui existe vraiment.
5 — Crochet double — Démonstratif — Iridium.
6 — De l'Italie.
7 — Mélange de poudre de diamant et d'huile — Pas ailleurs.
8 — Sans aspérités — Homme jovial.
9 — Bramer — Elle fut changée en génisse — Erbium.
10 — Manière d'agir considérée comme blâmable (pl.).

VERTICALEMENT

1 — Instrument de musique — Affluent de la Seine.
2 — Attribuer de nouveau.
3 — Normale, au golf — Marquer de raies.
4 — Inventai — Île de France.
5 — Rapière — Drogue hallucinogène.
6 — Largeur d'une étoffe — Usine où l'on fabrique de l'acier.
7 — Seule — Atome.
8 — Fondateur de l'Oratoire d'Italie — Fleuve d'Afrique.
9 — Astate — Titane — Servent à ouvrir une serrure.
10 — Personne qui tient une taverne.

HORIZONTALEMENT

1 — Relatif à la paroisse.
2 — Volonté — Tantale.
3 — Sourit — Lambines.
4 — Débris d'un objet de verre — Eux.
5 — Erbium — État d'Afrique du Nord.
6 — Ville natale de Georges Brassens — Crochet double.
7 — Existera — Certaine.
8 — Nuage.
9 — Souplesse — Terminaison.
10 — Administré — En usage.

VERTICALEMENT

1 — Privations — Farce.
2 — Conductrices d'ânes — Germanium.
3 — Filet pour la pêche — Prendre.
4 — Métal précieux — Qui est inapte à la reproduction.
5 — Abri de neige — Allié.
6 — Qui lui appartient — Unité de mesure calorifique.
7 — Unité monétaire japonaise — Nées.
8 — Étoffes.
9 — Local où travaillent des artisans — Liaison.
10 — Fatiguée — Individu.

HORIZONTALEMENT

1 — Qui se fait chaque jour.
2 — Détérioration — Vedette.
3 — Ventila — Dénivellation.
4 — Épargnerait avec avarice.
5 — Écimé — Commandement.
6 — Infusion d'herbages — Signal bref et répété émis par un appareil.
7 — Article espagnol — Dont on ne se sert pas habituellement.
8 — Palmier — Trois fois.
9 — À la mode — Obtint.
10 — Refusées.

VERTICALEMENT

1 — Vertu — Actinium.
2 — Détériorée — Terre entourée d'eau.
3 — Femelle de l'ours (pl.) — Fibre textile.
4 — Appliquaient des soins médicaux.
5 — C'est-à-dire — Négation.
6 — Peureuses.
7 — Coule à Grenoble — Ancien do.
8 — Volcan de Sicile — Poutre transversale sur un navire.
9 — Ce que célèbre la fête de Noël.
10 — Arrangeras grossièrement.

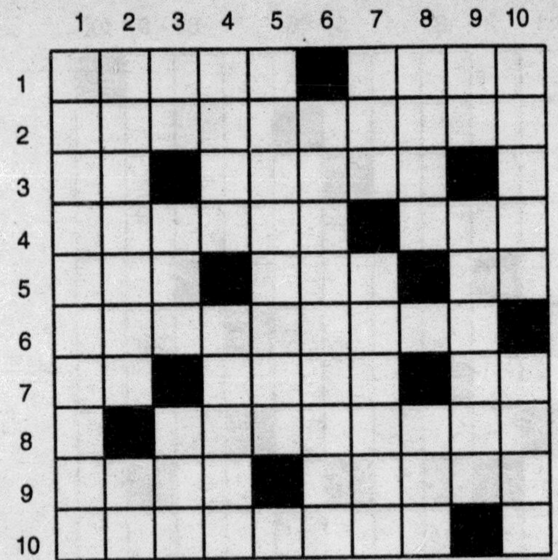

HORIZONTALEMENT

1 — Avare — Bien élevé.
2 — Louangeuses.
3 — Interjection marquant le mépris — Substance irisée produite par certains mollusques utilisée en bijouterie.
4 — Passage à l'état de veille — Bouclier.
5 — Fille de Cadmos — Tamis — Expert.
6 — Grossesse.
7 — En matière de — Passé récent — Avant-midi.
8 — Imbibé d'un liquide.
9 — Dieu de l'amour — Conducteur d'ânes.
10 — Donner un nouveau labour à la vigne.

VERTICALEMENT

1 — Refroidir.
2 — Atteints d'aliénation mentale — Île de France.
3 — Note — Pluriel de votre — Biens qu'une femme apporte en se mariant.
4 — Qui est en feu — Théorie particulière.
5 — Faisait des niaiseries.
6 — Exploseras.
7 — Sans mélange — Personnage marin représenté par un poisson à tête et buste de femme.
8 — Risquée — Village russe.
9 — Largeur d'une étoffe — Sofa.
10 — Nés — Océans.

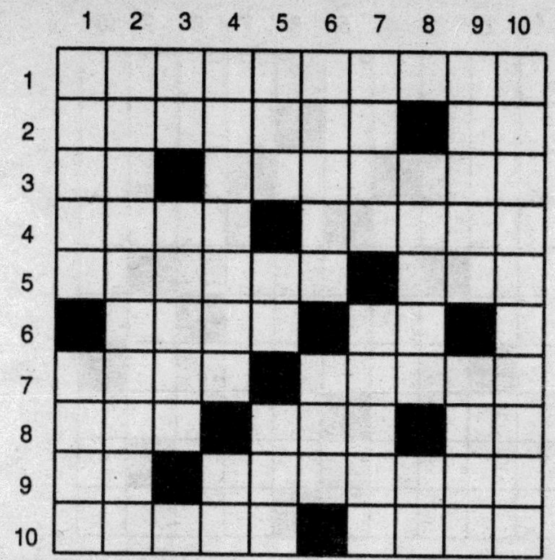

HORIZONTALEMENT

1 — Mécanisme qui assure l'amortissement des chocs.
2 — Volonté — Possessif.
3 — Rigolé — Transformer en ions.
4 — Tunique moyenne de l'oeil — Conducteur d'ânes.
5 — Unité de longueur (pl.) — Risqua.
6 — Voies urbaines — Du verbe mouvoir.
7 — Déesse égyptienne — Qui comprend des personnes des deux sexes.
8 — Possessif — Deux fois — Petit ruisseau.
9 — Article espagnol — Rendre moins lourd.
10 — Qui a de gros os — Troisième glaciation de l'ère quaternaire.

VERTICALEMENT

1 — Liquide se séparant du caillot après coagulation du sang — Lac d'Italie.
2 — Qui concernent l'univers.
3 — Sélénium — Boîtes destinées à contenir un objet.
4 — Paroles qu'on adresse à Dieu — Or.
5 — Moi — En matière de — Céréale.
6 — Petit cigare — Céréale.
7 — Siège de la conception — Déposer un enjeu.
8 — Ensemble de peuples amérindiens — Soldat de l'armée américaine.
9 — Risquées — Beaucoup.
10 — Personnes qui racontent.

HORIZONTALEMENT

1 — Cycle à trois roues muni d'une caisse pour transporter des marchandises.
2 — Utilisas un appareil pour le mettre au point — Volcan de Sicile.
3 — Résine malodorante — Tantale — Sourit.
4 — De plus — Coule à Grenoble.
5 — Tour — Fém. de ils.
6 — Il retire des rentes — Caesium.
7 — Écimera.
8 — Liquide coulant dans les arbres — Coiffure du pape.
9 — Suent.
10 — Estonie — Présente un plat.

VERTICALEMENT

1 — Elle trahit.
2 — Éperon d'un navire — Obtenue.
3 — Opinion — Île des Petites Antilles.
4 — Pascal — Placent.
5 — Armée — Dépôt du vin — Titane.
6 — Aube du rotor d'une turbine.
7 — Tellure — Calmes.
8 — Individus — Elle se dilate quand on rit.
9 — Joindre — Voiture sur rails.
10 — Échouées — Orient.

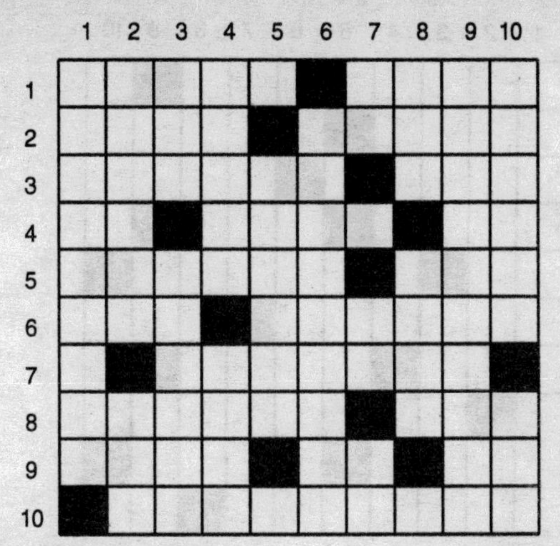

HORIZONTALEMENT

1 — Ultraroyaliste — Cochon.
2 — Bouquiner — Se sauver.
3 — Hauteur du corps humain — Touché.
4 — À la mode — Atomes — En matière de.
5 — Grand-mère — Capitale de la dynastie des Tokugawa.
6 — Résine malodorante — Sa capitale est Rome.
7 — État américain du Sud-Est.
8 — Fatigante — Époque.
9 — Orge utilisée pour fabriquer de la bière — Dans — Astate.
10 — Associé avec d'autres.

VERTICALEMENT

1 — Proposition sans conditions.
2 — Plantes grimpantes — Sachet.
3 — Triage — Mégalomane.
4 — Réuni — Greffa.
5 — Oiseau passereau.
6 — Pourvues de fenêtres.
7 — 3,1416 — Argent — Théâtre japonais.
8 — Interjection espagnole — Prophète.
9 — Apporterai un remède à.
10 — Son compagnon s'appelait Vendredi — Saison.

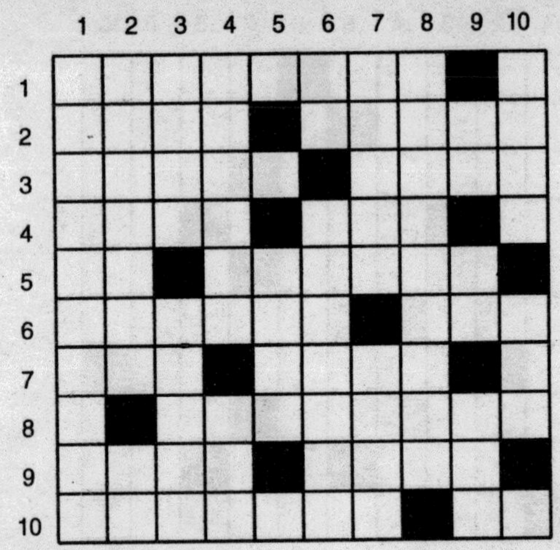

HORIZONTALEMENT

1 — Territoire planté de vignes.
2 — De naissance — Revenu annuel.
3 — Jetons les pattes en l'air avec force — Vedette.
4 — Boîte destinée à contenir un objet — Rivière de Suisse.
5 — Cale en forme de V — Qui provient de l'action du vent.
6 — Fils d'Agamemnon — Océan.
7 — Partie d'un tout — Rapière.
8 — Argent, en argot (pl.).
9 — Féminin de il — Dévêtues.
10 — Vraies — Tantale.

VERTICALEMENT

1 — Tourner en rond sur soi-même.
2 — Qui se produit à l'intérieur de l'utérus — Largeur d'une étoffe.
3 — Antilope d'Afrique — Vêtement liturgique.
4 — Chant funèbre — Condiment.
5 — Enlevée.
6 — Brome — Étoffe originaire d'Alep.
7 — Désavantageai — Choisis.
8 — Entrecoupé.
9 — Possessif — Issu — Orient.
10 — Maman — Thymus du veau.

HORIZONTALEMENT

1 — Arrêt — Arbre.
2 — Ressentiment mêlé de tristesse et de déception.
3 — Cours d'eau — Note.
4 — Perroquet — Désignation honorifique.
5 — Possessif — Chemin étroit.
6 — Sous-vêtement — Agencement.
7 — Épouse.
8 — Démentit — Patrie d'Abraham — Recueil de bons mots.
9 — Robes de magistrat — Assassiner.
10 — Écolier — Tellure.

VERTICALEMENT

1 — Épuisante.
2 — Officier général d'une marine militaire — Elle fut changée en génisse.
3 — Hissa — Représentation imprimée d'un sujet.
4 — Triage — Station thermale de Belgique — Article espagnol.
5 — Écimé — Astuce.
6 — Vespasienne.
7 — Oublier — Règle double.
8 — Note — Étoffe tendue devant une fenêtre.
9 — Bramer — Propre.
10 — Époque — Restauré.

HORIZONTALEMENT

1 — Ensemble des habitants d'un pays.
2 — Colères — Voiture très légère utilisée dans les courses de trot attelé.
3 — Qui ont la consistance d'une pâte.
4 — Mettre les rênes — Note.
5 — Du verbe gésir — Herbe dont on tire une huile laxative.
6 — Océan — Fait de sortir de son sommeil.
7 — Argon — Minéral naturel transparent.
8 — Appareil qui coupe les poils de la barbe — Saison.
9 — Petit de l'oie — Désormais.
10 — Démonstratif — Pronom personnel — Île de France.

VERTICALEMENT

1 — Objet servant à fumer — État de l'Afrique du Nord-Ouest.
2 — Terrain planté d'orangers.
3 — Malaxer une pâte — Sa Sainteté.
4 — Détériorées — Calme et détendu (mot ang.).
5 — Article indéfini — Instrument de chirurgie.
6 — Réduire à un état de dépendance absolue.
7 — Carnages — Métal précieux.
8 — Eux — Convoquer en justice.
9 — D'accord — Augmenter le volume d'un corps par élévation de sa température.
10 — Fibre synthétique — Désavantagé.

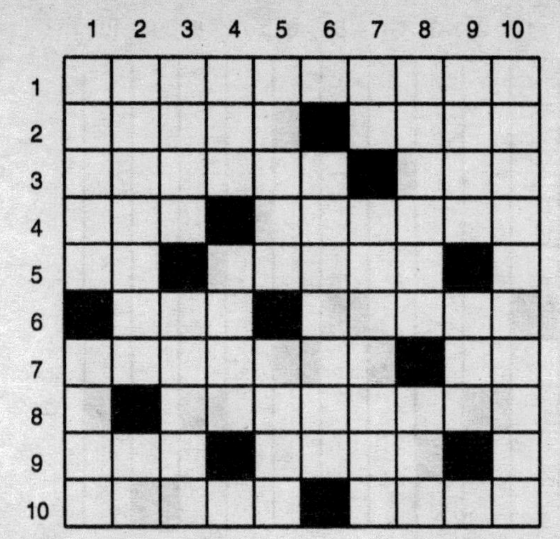

HORIZONTALEMENT

1 — Offrandes à une divinité.
2 — Nids des oiseaux de proie — Liquide nourricier.
3 — Tomber, en parlant de la neige — Se rendra.
4 — Assassiné — Image provenant de la réflexion de la lumière.
5 — Article espagnol — Acier.
6 — Lettre grecque — Écolier.
7 — Femme du tsar — Astate.
8 — Stèrent.
9 — Éclat de voix — Direction.
10 — Étoffe — Saisons.

VERTICALEMENT

1 — État de quelqu'un dont l'organisme fonctionne bien — Doigté.
2 — Ancêtres (fém.) — Rigolé.
3 — Hurlé — Sas.
4 — Étendue désertique — Étang.
5 — Coule à Grenoble — Né.
6 — Privation de récréation à l'école.
7 — Lui — Vin estimé dans l'Antiquité.
8 — Partie du lait obtenue par coagulation et servant à fabriquer le fromage — Orient.
9 — Irlande — Fourgon.
10 — Petites statues.

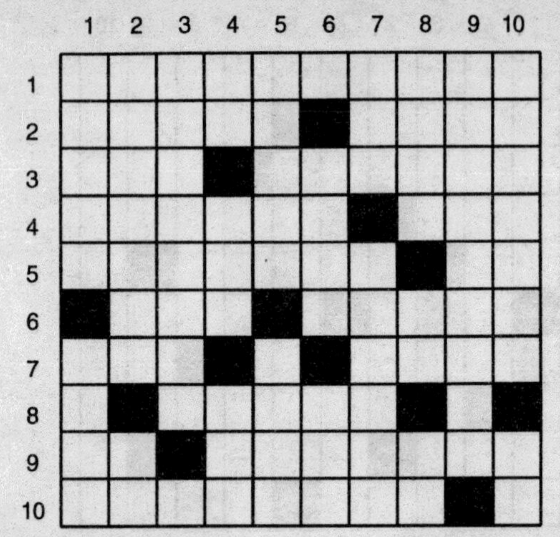

HORIZONTALEMENT

1 — Acte maladroit.
2 — Conformité — Enlever.
3 — Propre — Lieu où l'on présente des films.
4 — Faire prendre les couleurs de l'arc-en-ciel — Mois.
5 — Ricaneuses — Lui.
6 — Époque — En aviron, nage en couple.
7 — Risqué — Rivière de France.
8 — Mesuré.
9 — Nouveau-Brunswick — Fait de l'ironie.
10 — Faisceau de plumes qui surmonte la tête de certains oiseaux.

VERTICALEMENT

1 — Pourvoir de ce qui est nécessaire — Décora.
2 — Paroles stupides — Bismuth.
3 — Lits de paille sur lesquels se couchent les animaux.
4 — Astate — Suinte — Feu.
5 — Mort — Administré.
6 — Colères — Éructation.
7 — Agent secret de Louis XV — Coupent avec une scie.
8 — Virage en ski — Coutumes — C'est-à-dire.
9 — Époque où l'on sème.
10 — Écorché — Liaison.

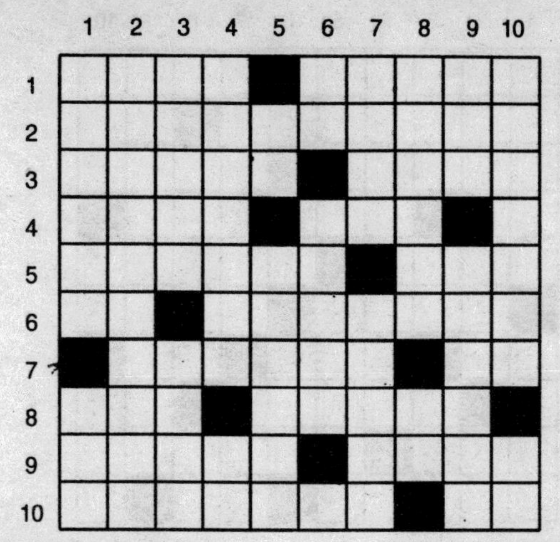

HORIZONTALEMENT

1 — Maison, en espagnol — En santé (fém.).
2 — De l'Acadie.
3 — Assaisonnai — Greffé.
4 — Indique une quantité excessive — Baie du Japon.
5 — Frottées d'huile — Mèche de cheveux.
6 — Roulement de tambour — Philosophe américain (1803-1882).
7 — Allongera — Sélénium.
8 — Métal précieux (pl.) — Demeure.
9 — Signature d'une personne sur un acte — Choisis.
10 — Dont on fait le siège — Dieu du soleil.

VERTICALEMENT

1 — Mammifère à queue aplatie — Risqua.
2 — D'un caractère désagréable (pl.).
3 — Pièce de la maison — Déesse égyptienne.
4 — Rendre conforme au goût du jour — Nickel.
5 — Deux — Sort.
6 — Pronom personnel — Coule à Grenoble.
7 — Baudets — Coupée au ras de la peau.
8 — De naissance — Thallium.
9 — Propre — Personne qui procède à la pose de certains objets.
10 — Alcaloïde toxique — Possessif.

HORIZONTALEMENT

1 — Qui jouit d'un privilège.
2 — Faites trop vite — Notre-Seigneur.
3 — Étendue sableuse — Lieu.
4 — Note — Ruse.
5 — Boîte destinée à contenir un objet — Ancienne monnaie française.
6 — Vagabonde — Fleuve d'Irlande.
7 — Squelette — Orient — Double voyelle.
8 — Née — Liaison.
9 — Fille de Cadmos — Installée sur un siège.
10 — Jour — Tour.

VERTICALEMENT

1 — Projecteur de lumière placé à l'avant d'un véhicule — Organe de la vue.
2 — Disette (pl.) — Dévêtu.
3 — Allez, en latin — Patrie d'Abraham — Atome.
4 — Relatifs au vin.
5 — Plantes à fleurs jaunes — Tentative.
6 — Largeur d'une étoffe — Thallium — Cachés.
7 — Nettoie — Orient.
8 — Fils de Dédale — Iridium.
9 — Emprisonnées.
10 — Dans la rose des vents — Petit cube — Semblable.

Page 5
1. AROMATE-FA
2. VIE-DEMAIN
3. EVIERS-LEE
4. NILLE-ILS-
5. TES-SCRUTE
6. UR-ASE-MAL
7. REGRETTE-L
8. I-LES-ATRE
9. ELAN-ENTAS
10. RISEES-ET-

Page 6
1. BUREAU-SEC
2. USINE-ORME
3. TUTORAT-UR
4. IR-NENES-T
5. NIECES-OSA
6. -ETE-EESTI
7. FRERE-PIAN
8. L-TARSIEN-
9. OBESITE-CO
10. TER-NEUVES

Page 7
1. CORDE-AERE
2. RAIE-ALTOS
3. EST-PILES-
4. VIEILLESSE
5. ES-NIER-ER
6. R-OTER-URI
7. -AVIRONS-G
8. ITEM-NOIRE
9. CREER-UNIR
10. IE-SENSES-

Page 8
1. DECEDER-PA
2. EVITA-OGRE
3. NA-ENSILER
4. TSETSE-ASE
5. SIDA-LACER
6. -OISILLON-
7. ONT-PEINTE
8. P-ISERE-EM
9. TRONC-NERI
10. AIN-AMENAS

Page 9
1. ECHELONNER
2. CIA-INOUIE
3. HETRE-NERF
4. ELIE-AN-ER
5. V-VAINES-A
6. INERTE-AMI
7. NA-MAMELON
8. -GRELIN-T-
9. REORIENTER
10. ART-ERABLE

Page 10
1. FACTEUR-FI
2. ARDUS-IRAN
3. UT-ESERINE
4. TISSERAS-T
5. EST-USITEE
6. -TELLES-TN
7. VERSES-SUD
8. R-IDE-DODU
9. AIL-SORTIE
10. ILET-RUSES

Page 11
1. GUERITE-RA
2. USTENSILES
3. EUES-ERIGE
4. RE-TETER-P
5. ILEONS-EST
6. S-UNTEL-TI
7. OURSE-OSES
8. NEE-TRIERE
9. -L-LEO-MER
10. REMERCIER-

Page 12
1. HOMME-STOP
2. OSEILLE-BA
3. TERRIENNES
4. ER-ARASAS-
5. LONGES-GEL
6. -NIE-IRE-I
7. USE-ENERVE
8. R-LONGS-ON
9. NULLE-TRIS
10. ETETERAIS-

Page 13
1. INFIRMITES
2. NAINE-ORME
3. EVE-NE-OUT
4. RI-LOREN-O
5. TRAINA-CON
6. IENA-FROC-
7. E-ISOLANTS
8. SIESTES-ET
9. -CREERENT-
10. DIESE-ROSE

Page 14
1. JARDIN-OTE
2. OSAIS-TRI-
3. UTILITAIRE
4. RR-USITEES
5. NEVE-NENES
6. A-REG-ET-A
7. LIA-ASSAGI
8. IDIOTE-LIS
9. EE-DECRET-
10. REVE-SISES

Page 15
1. LECTURE-TA
2. ATOUT-VER-
3. MOU-EROSIF
4. PIPERIES-E
5. EL-NUS-AIN
6. -ECOSSAISE
7. OSER-OS-LT
8. T-IMPLORER
9. ANNELE-I-E
10. SET-URINES

Page 16
1. MAILLON-SE
2. ARMEE-ITEM
3. ICI-PLEINE
4. G-TIREES-T
5. RUADES-ORS
6. ENTE-IGNE-
7. -TIENNE-VU
8. LEO-AEREES
9. ULNAIRES-E
10. I-SIS-STAR

Page 17
1. NATATION-D
2. ACIER-NONE
3. TERRESTRES
4. UT-EST-MTS
5. ROT-SALETE
6. ENUMERE-ER
7. LESER-PUTT
8. L-SN-ERRE-
9. ECOEUREE-E
10. SURETE-EUT

Page 18
1. OBLIGATION
2. CREVER-ONU
3. TIGE-RINCA
4. ROI-AERIEN
5. O-OINTES-C
6. YENNE-NEVE
7. EM-TRIERA-
8. REPAIRE-IR
9. -RACEE-ONT
10. RIST-SUCEE

Page 19
1. PALMIER-AS
2. AVEU-MOULE
3. ROUSSEUR-M
4. DIRECTE-RE
5. OS-EU-TSAR
6. NIL-LOSER-
7. -NAPPE-REE
8. CA-ETIER-T
9. ANNUELLES-
10. -TER-SURES

Page 20
1. QUALITE-EU
2. ULTIMATUMS
3. AC-TIPER-U
4. TET-TISANE
5. URATES-NIL
6. OEIL-SCIE-
7. RUS-LEVURE
8. -SERIN-MER
9. VENETTE-NI
10. ESTES-TETE

Page 21
1. RACINE-PLI
2. AME-IRREEL
3. TESTAMENT-
4. IR-USINE-O
5. NEPE-TETER
6. EMERGE-RN-
7. -ERIE-OEIL
8. ANIERES-VE
9. ITE-MOEURS
10. R-RIEN-TEE

Page 22
1. SALADE-ODE
2. AMOUREUSES
3. LOI-USNEE-
4. IR-ASTI-SR
5. ECUS-IRISE
6. RESTE-ALES
7. E-ARROSE-O
8. SC-ART-SOL
9. -ALLEES-TU
10. EPIERRAGES

Page 23
1. TARDIVETE-
2. ICI-NEROLI
3. ACTEUR-LAS
4. RUENT-SENS
5. EM-NIMES-U
6. -ULULER-NE
7. PLUIE-VOIS
8. RETS-VISE-
9. ERE-TIR-CE
10. TARTE-ANES

Page 24
1. VERSEAU-NS
2. ECOTS-SPOT
3. NOTEES-RTE
4. TL-ARETIER
5. -ERMITES-A
6. T-IENA-EPI
7. APPRECIER-
8. BOA-SEL-ET
9. AUGE-EESTI
10. CREVASSE-R

Page 25
1. AMATEUR-NO
2. MENER-EROS
3. UNE-RANIME
4. SA-MEMOS-E
5. EGLISE-ERS
6. REEL-NUEE-
7. -RELIAS-PT
8. BE-INGENUE
9. E-CONE-OTE
10. CORNE-FEES

Page 26
1. BROUILLARD
2. EON-NUITEE
3. BIDON-STEM
4. ETUVEE-ALI
5. -ELASTIQUE
6. ILET-ANUS-
7. LE-IMINE-M
8. ETROIT-EPI
9. A-UNE-OSER
10. LIASSES-TE

Page 27
1. CARNAVAL-N
2. ACIER-RIPE
3. STE-MASSUE
4. TEUTON-SIS
5. O-SAISIES-
6. RIEUR-DUES
7. -ASPIRER-A
8. CM-IENA-ON
9. ABCES-LENT
10. REER-RESTE

Page 28
1. DANSE-FISC
2. ECOUTER-IE
3. CET-UNITES
4. O-EPITRES-
5. RIRE-RENTE
6. EN-ITE-TER
7. REINSERE-R
8. -DOTA-OETA
9. AILERON-HI
10. STE-SODEES

Page 29
1. EBENISTE-I
2. LACER-RAIL
3. ALI-RIEUSE
4. NEMEENS-OO
5. -IENA-SIEN
6. EN-CLIENT-
7. TERRIENNES
8. I-AIS-TE-U
9. RISEES-ETE
10. EN-REUSSIR

Page 30
1. FAVORABLES
2. REER-PUA-O
3. IRREEL-INN
4. COR-TANTES
5. -NEGATION-
6. TARE-INNES
7. HUILE-ANSE
8. ETE-MISE-X
9. SE-GIT-ERE
10. ESSOREUSES

Page 31
1. GUITARE-RA
2. URNE-ISLAM
3. IGNARE-IN-
4. DE-SAUVAGE
5. ENSERRER-S
6. -TIRE-IDEE
7. TET-TAN-TR
8. R-AMENERAI
9. INRI-GRAIN
10. OBSEDE-ITE

Page 32
1. HALEINE-PD
2. ECO-VICIEE
3. UTILE-HAUT
4. RISETTES-R
5. EV-UTILITE
6. -IRREEL-US
7. OTER-NEVES
8. RENES-SIRE
9. EST-ON-NI-
10. E-ENTASSER

Page 33
1. INONDATION
2. VARIETES-O
3. RIT-SOLEIL
4. ESERINE-SI
5. -SIEGE-SOS
6. TALON-ROLE
7. AN-PETALE-
8. OTEE-ED-ET
9. N-ORANAISE
10. SINECURE-E

Page 34
1. JOINDRE-EM
2. ORTIE-TETA
3. IDEE-MIR-S
4. EU-CIERGES
5. -RUELLE-RE
6. TET-LIRES-
7. R-ITEM-TES
8. ALLEGERA-U
9. MIE-ALAISE
10. ET-FLOTTER

Page 35
1. LEGENDAIRE
2. URINE-VOIS
3. TER-VEINES
4. I-OTEES-NI
5. NOUE-SENSE
6. -CERAT-I-U
7. ATT-HIDEUX
8. MATOU-INN-
9. AVE-RIOTER
10. SESSION-SE

Page 36
1. MONTAGNE-A
2. ARSINE-TIC
3. TA-RANCART
4. IGNE-TE-IE
5. NEANTISAS-
6. -UNTEL-MER
7. EST-SLIP-O
8. DEISTES-US
9. E-ETESIENS
10. NASES-SUEE

Page 37
1. NEGLIGENCE
2. ACIERE-UR-
3. TOTO-RADIS
4. ISE-CECI-I
5. OS-PIRATES
6. NASAL-BETE
7. -ITT-AISE-
8. OSAIENT-TU
9. VEROLE-TES
10. ES-SUSURRE

Page 38
1. OBSESSIONS
2. URATE-RUEE
3. TU-AMPERES
4. ITALIEN-SA
5. LAMA-PET-M
6. -LI-S-EOLE
7. RI-GEL-CO-
8. ATTENTE-NS
9. TER-TE-AGE
10. ASINIENNES

Page 39
1. PARENTALES
2. ORALE-LIT-
3. RAT-NIE-AA
4. TIENNE-OIL
5. -GRAINES-I
6. ANAR-AMERE
7. DESIR-IRAN
8. ME-NITRATE
9. ISOETE-ISE
10. S-USERAS-S

Page 40
1. QUEBECOISE
2. ULCERE-NUL
3. ITOU-PA-PU
4. ER-ROSTRE-
5. TAIRE-TARD
6. U-NEIGES-U
7. DECELER-ER
8. EPI-SORTIE
9. -ETE-LEUR-
10. GEANTE-SET

Page 41

1. RASSEMBLER
2. AVOIR-AUGE
3. DIT-EPINE-
4. ARTS-ISERE
5. ROITELET-S
6. -NS-VERTES
7. ANERIE-ECO
8. BE-OTSU-AR
9. URATE-SURE
10. S-SERPENTS

Page 42

1. SALUTAIRES
2. AMUSER-ALI
3. COTELETTES
4. RUT-STE-VA
5. IRES-ILIAL
6. F-ROSEES-S
7. IL-SERVIS-
8. CAS-N-ISLE
9. ECUMAIS-IR
10. S-DETREMPE

Page 43

1. TRAITEMENT
2. AEROSTAT-E
3. CAR-FER-FR
4. ONEX-STRIE
5. TITIS-YENS
6. -MEANDRE-A
7. SE-N-OSLO-
8. ERIGER-LIE
9. MAL-RECENT
10. ESSES-ESTE

Page 44

1. VULGARITES
2. ESAU-ELOGE
3. NUBIEN-ROT
4. TRI-PORT-T
5. EPURE-ASPE
6. -EMULES-AR
7. ER-SEN-ERS
8. PATERNITE-
9. OSEE-UR-IL
10. I-ESPIEGLE

Page 45

1. ARGUMENTE-
2. ION-US-UNS
3. MIONS-CACA
4. ETUI-AR-RN
5. RE-CICEROS
6. -LIONCEAU-
7. MENTEUR-TR
8. ATTIRE-PEU
9. R-ENTIERES
10. IRREELLE-E

Page 46

1. BATAILLE-T
2. EBENE-ETRE
3. LOT-NEVE-S
4. IN-GABARIT
5. EDEN-RINCE
6. RABOTA-EAU
7. -NOMINAL-R
8. ECUELLE-OS
9. MET-LEROT-
10. U-ETE-ERES

Page 47

1. COURTISANE
2. AL-URNE-ON
3. DIME-OTSU-
4. EVIER-SEVI
5. TAN-AT-TER
6. -TURION-LR
7. ARTERIELLE
8. REINE-RUEE
9. USEE-LEI-L
10. M-REQUETES

Page 48

1. DECOUVERTE
2. ACE-SITUER
3. NOCEUSE-NA
4. SUIVRE-PUB
5. ET-AERE-EL
6. RETS-ABA-I
7. -NAISSANCE
8. ETRON-H-AR
9. O-INITIALE
10. NEF-FERMES

Page 49

1. ECONOMISER
2. CANALISER-
3. UR-IL-STAR
4. MANTEAU-FI
5. EMIR-ISOLE
6. -EGEEN-PEU
7. ALE-LEGERS
8. N-REISER-E
9. SAINT-RATS
10. ETA-EVASE-

Page 50

1. FERTILISER
2. ILEITE-USE
3. AU-REPRIS-
4. SCIE-ROTER
5. CINTRES-SE
6. ODE-EUES-A
7. -ERRES-TEL
8. ART-LES-TI
9. R-INUSITES
10. CREES-RUSE

Page 51

1. HARMONISER
2. ADOUCIR-LE
3. RUT-REINE-
4. PLIEE-SEVE
5. OTER-MENAS
6. NE-EPI-ETC
7. -RAILLE-IO
8. CERNA-DIOR
9. O-ETNA-ONT
10. RUSE-NON-E

Page 52

1. IMPATIENCE
2. NERI-RUAIS
3. FROLER-GAP
4. AC-IMITE-O
5. MEME-TERNI
6. INERTES-ER
7. EAU-RETIF-
8. -ILEUS-ELU
9. PRETS-ANES
10. TE-ETIRA-E

Page 53
1. JARDINIERE
2. UT-ARES-AT
3. DONNEUSES-
4. OMIS-FUMER
5. -IDEE-EIRE
6. ES-UNE-SON
7. PEUR-PI-NE
8. ERS-DIGEST
9. E-ERRENT-T
10. SCEAU-ECHE

Page 54
1. LIMOUSINES
2. ATOUT-NICE
3. PI-TESTEUR
4. INO-RUE-LR
5. NEVEU-GREE
6. -RASSURE-M
7. LAIS-SELLE
8. OIRON-SEIN
9. FRERES-VET
10. TE-ETIREES

Page 55
1. MEURTRIERE
2. ACTUAIRE-V
3. LA-ER-ESSE
4. ARRETE-TAN
5. ITE-ETOILE
6. SENILES-EM
7. ELEVE-ETRE
8. -ETETERA-N
9. ART-TUA-ET
10. S-ETESIENS

Page 56
1. NICHE-BABA
2. ADRESSE-IN
3. VOEU-ORMES
4. ILE-TISANE
5. GERMER-IVE
6. A-AILES-ES
7. TEST-ELAN-
8. ET-RESIDUS
9. URGER-PA-E
10. RE-SEISMES

Page 57
1. OPULENCE-T
2. PATIR-HUER
3. TR-ESCORTE
4. ITOU-RUONS
5. MISERE-PAS
6. IRE-UELE-E
7. S-IBERE-OR
8. TELLE-VIRA
9. ELLE-FELES
10. SUEDOISES-

Page 58
1. PIERRE-BON
2. ANNUELLE-O
3. RETS-UTILE
4. TRIER-EGAL
5. ETE-EVENT-
6. NEROLI-ETA
7. AS-MINUTES
8. I-LEE-NS-S
9. RENTREE-LI
10. EMIS-USEES

Page 59
1. QUADRILLES
2. UR-IODEES-
3. IGUANE-SET
4. ZEN-DESIRE
5. -NIFE-UNI-
6. ETOILE-ANE
7. VENELLE-EN
8. ES-REINS-T
9. I-TEST-OSA
10. LUES-EESTI

Page 60
1. RUGIR-ARCS
2. ETETEES-RA
3. CINE-USEES
4. OLE-ETANT-
5. NERFS-UNES
6. F-AETITE-U
7. ORTEIL-MIE
8. RAI-METIS-
9. TRONE-R-IR
10. -ENERGIES-

Page 61
1. SUCCESSION
2. USEES-ATRE
3. CUL-SCIAGE
4. RELIER-MA-
5. ELUS-EPINE
6. R-LESEE-IL
7. ICA-CERISE
8. ERIGE-IOTA
9. SIRENE-NET
10. -CELERIS-E

Page 62
1. TABASSER-M
2. OCELOT-ETA
3. UTILE-FLET
4. RIGOUREUSE
5. NOE-ROT-TL
6. IN-PESER-A
7. Q-RETIRAIS
8. USENT-ALES
9. ETETES-ANE
10. TELE-CESAR

Page 63
1. VULNERABLE
2. INOUIES-AG
3. LIN-RUES-E
4. LOGEES-IRE
5. ANES-SR-EN
6. -IRANIENS-
7. OSA-AEF-UN
8. UT-ANSELME
9. SEVIT-REER
10. TSARINE-RI

Page 64
1. ATLAS-PION
2. DOUCEREUSE
3. OTEE-ALLER
4. RE-TI-LE-F
5. AMIANTE-AS
6. T-LTEE-RR-
7. ILLEGITIME
8. OUI-ALESER
9. N-COLLETER
10. ROSEES-SE

Page 65
1. DECROCHAGE
2. ECHUS-ARUM
3. CLOSES-GE-
4. EAU-RATURE
5. SI-SALAMIS
6. -RIVIERE-S
7. NEREE-INRI
8. ORAL-ORTIE
9. A-ITEM-EMU
10. HOTELIERE-

Page 66
1. EMBRASSADE
2. MIRAGE-VOL
3. OSA-ENTITE
4. ISSU-SIS-V
5. -ESSE-SEME
6. CLAUSES-AR
7. E-GESTUEL-
8. DRELIN-RIA
9. RI-LEASING
10. ENJEU-ANSE

Page 67
1. FERTILISER
2. RIEUR-LISE
3. ANE-RASES-
4. ISRAEL-GOA
5. ST-RELIERA
6. -ETOLES-ER
7. SIAM-REM-O
8. ANTAN-REIN
9. L-ETIRENT-
10. ERSEAU-ATT

Page 68
1. GRENOUILLE
2. REDUIT-ION
3. ET-ELISENT
4. VOTE-LONGE
5. EUE-TISSU-
6. -REBATI-EN
7. AN-OREES-A
8. REBUT-SUAS
9. TRIERA-ERS
10. SAS-ECORCE

Page 69
1. HONORAIRES
2. OROBE-CIRE
3. NE-OVEES-A
4. TILLEUL-AN
5. ELIE-RUAIT
6. -LASSAIT-E
7. CES-ES-RUS
8. ASSIMILER-
9. M-EPEES-EU
10. PESER-DUES

Page 70
1. INCISIVE-O
2. MERCI-AMES
3. POUTRE-URE
4. R-CUEILLIR
5. IRIS-RIEN-
6. MUA-FER-ES
7. E-LOI-ET-U
8. RUELLE-USE
9. IN-LESER-E
10. ESPERANCES

Page 71
1. JOVIALITE-
2. OUIR-ANIME
3. UTERUS-RUS
4. ERRES-TEST
5. RAGEUSES-I
6. -GELEES-AM
7. TES-LUSTRE
8. SU-ALLO-ER
9. ASTRE-NON-
10. REE-SASSER

Page 72
1. LENTILLES-
2. ITE-LARMES
3. SETTER-I-E
4. TI-AUGURER
5. EGLISES-PT
6. -NIL-SITE-
7. POELE-NIER
8. RISETTES-E
9. ERS-EUROPE
10. TSETSE-NUL

Page 73
1. MECHANCETE
2. ARRETER-UR
3. MOI-TEES-I
4. ATELE-TETE
5. NI-ILIENS-
6. -SISES-SAC
7. AMPERES-RH
8. REER-ROSSE
9. M-COLERE-R
10. ETANT-ETES

Page 74
1. NAIVE-RARE
2. ARTISTES-T
3. REER-IASI-
4. RU-ACE-IDE
5. A-AGONISER
6. TRIER-OTAS
7. RAE-VENAL-
8. IOULER-NET
9. CUL-ERIC-E
10. ETES-ELEVE

Page 75
1. ORPHELINAT
2. REA-PESETA
3. GARCE-OR-V
4. US-REALITE
5. ESSE-CE-IR
6. -ITALIEN-N
7. EGRISE-ICI
8. UNI-DRILLE
9. REER-IO-ER
10. ERREMENTS-

Page 76
1. PAROISSIAL
2. ENERGIE-TA
3. RIT-LENTES
4. TESSON-ILS
5. ER-TUNISIE
6. SETE-ESSE-
7. -SERA-SURE
8. G-NIMBUS-T
9. AGILITE-ER
10. GERE-USITE

Page 77
1. QUOTIDIEN-
2. USURE-STAR
3. AERA-PENTE
4. LESINERAIT
5. I-ETETE-VA
6. TISANE-BIP
7. EL-INUSITE
8. -ELEIS-TER
9. A-IN-EUT-A
10. CONTESTEES

Page 78
1. RADIN-POLI
2. ELOGIEUSES
3. FI-NACRE-S
4. REVEIL-ECU
5. INO-SAS-AS
6. GESTATION-
7. ES-HIER-AM
8. R-DETREMPE
9. EROS-ANIER
10. RETERSER-S

Page 79
1. SUSPENSION
2. ENERGIE-SA
3. RI-IONISER
4. UVEE-ANIER
5. METRES-OSA
6. -RUES-MU-T
7. ISIS-MIXTE
8. SES-BIS-RU
9. EL-ALLEGER
10. OSSUE-RISS

Page 80
1. TRIPORTEUR
2. RODAS-ETNA
3. ASE-TA-RIT
4. ITEM-ISERE
5. TR-ELLES-E
6. RENTIER-CS
7. E-ETETERA-
8. SEVE-TIARE
9. SUINTENT-S
10. EESTI-SERT

Page 81
1. ULTRA-PORC
2. LIRE-FILER
3. TAILLE-EMU
4. IN-IONS-ES
5. MEMERE-EDO
6. ASE-ITALIE
7. T-GEORGIE-
8. USANTE-ERE
9. MALT-EN-AT
10. -COASSOCIE

Page 82
1. VIGNOBLE-M
2. INNE-RENTE
3. RUONS-STAR
4. ETUI-AAR-E
5. VE-EOLIEN-
6. ORESTE-MER
7. LOT-EPEE-I
8. T-OSEILLES
9. ELLE-NUES-
10. REELLES-TA

Page 83
1. HALTE-ORME
2. AMERTUME-P
3. RIVIERE-RE
4. ARA-TITRE-
5. SA-SENTIER
6. SLIP-ORDRE
7. A-MARIEE-P
8. NIA-UR-ANA
9. TOGES-TUER
10. E-ELEVE-TE

Page 84
1. POPULATION
2. IRES-SULKY
3. PATEUSES-L
4. ENRENER-DO
5. -GIS-RICIN
6. MER-EVEIL-
7. AR-CRISTAL
8. RASOIR-ETE
9. OISON-ORES
10. CE-LEUR-RE

Page 85
1. SACRIFICES
2. AIRES-LAIT
3. NEIGER-IRA
4. TUE-REFLET
5. EL-METAL-U
6. -ETA-ELEVE
7. TSARINE-AT
8. A-MESURENT
9. CRI-SENS-E
10. TISSU-ETES

Page 86
1. MALADRESSE
2. UNITE-OTER
3. NET-CINEMA
4. IRISER-MAI
5. RIEUSES-IL
6. -ERE-SCULL
7. OSE-G-ISLE
8. R-STERE-E-
9. NB-IRONISE
10. AIGRETTE-T

Page 87
1. CASA-SAINE
2. ACADIENNES
3. SALAI-ENTE
4. TROP-ISE-R
5. OINTES-EPI
6. RA-EMERSON
7. -TIRERA-SE
8. ORS-RESTE-
9. SEING-ELUS
10. ASSIEGE-RA

Page 88
1. PRIVILEGIE
2. HATIVES-NS
3. ARENE-SITE
4. RE-ASTUCE-
5. ETUI-LIARD
6. -ERRE-ERNE
7. OS-EST-EE-
8. E-ISSUE-ET
9. INO-ASSISE
10. LUNDI-TR-L

ACHEVÉ D'IMPRIMER
EN JUIN 1993
SUR LES PRESSES DE
PAYETTE & SIMMS INC.
À SAINT-LAMBERT, P.Q.